地方独立行政法人の
社会科学による検証

10年経過した「健康長寿医療センター」の総合研究報告書

2020年2月

JN132233

健康長寿医療センターの
過去・現在・未来調査研究会

これまでにない斬新な報告書が完成

「健康長寿医療センターの過去・現在・未来調査研究会」の発足は、2018年9月に開かれた「都立病院の充実を求める会」の総会がきっかけであった。都立病院を地方独立行政法人化にする東京都の動きは、2018年当初から本格化していた。

そのころは、東京都の一般会計からの繰入金400億円を削減するために民営化手法の一つである地方独立行政法人化を目指すという世論が形成されていた。400億円赤字説は成立しないことを都議会内でも、都立病院を直営で守る運動と対抗構想の中でも明らかにしてきた。が、地方独立行政法人化の圧力は強くなっていくばかりであった。

すでに東京都は、2009年に旧養育院が様々な経過をたどりながら、地方独立行政法人東京都健康長寿医療センターへと経営形態の変更を実行していた。では、健康長寿医療センターは、財政が好転して、医師・看護師それに患者さん達にも満足がいくように変身できたのだろうか、という疑問が沸々と湧いていた。

しかし、そのような疑問に対して東京都と健康長寿医療センターの公式発表では、有効な証拠を得ることができないまま過ぎていた。

その時、旧養育院支部の役員・山本さんから、共同研究の構想が持ち上がった。時は今。地方独立行政法人化になったあとの旧養育院は、どのようになったのか。調査研究をする歴史的意義を見つめた。研究会メンバーの組織に入っていく。

○　研究会の発足

そして、2018年12月17日「健康長寿医療センターの過去・現在・未来調査研究会」として、第1回の研究会を持つこととなった。

調査研究としては、未領域になる地方独立行政法人研究について、社会科学の方法を採用しながら、解明することを目指した。次のような調査を取り組んだ。

◇　住民アンケート・職員アンケートによる意向調査
◇　養育院から健康長寿医療センターへの移行過程の史的研究
◇　東京都と健康長寿医療センターの行財政分析

地域に配布したチラシからのハガキの反応の良さ、職員アンケートの回収率の高さ、行政権限があるわけでない自発的な調査研究に多くの共感が寄せられた。

現地で地域住民や患者さん達の座談会も開いた。都立病院の財政分析で開拓が進んでいた「決算カード」の活用もはじめた。加えて、行政学の視野から地方独立行政法人をどのように解明できるのか、新しい課題も設定した。

　この健康長寿医療センターの先人から学ぶとなると、渋沢栄一から物事が始まる。旧養育院を廃止する時には、一番ヶ瀬康子氏も存続の意見を述べられていた。歴史的には、深い蓄積を持つ。歴史から学びながら、現状分析に反映させていくことも課題となった。

〇　地方独立行政法人化を阻止する運動・政策づくりに役に立つ

　2020年1月8日、本報告集に掲載されている原稿を持ち寄り、2019年に集中して取り組んできた調査研究の成果を検討した。

　本来であれば、この原稿を精査して、課題を深掘りする予定であった。が、2019年12月3日、小池知事が8都立病院と6公社病院の地方独立行政法人化を打ち出した。

　その後、12月25日『新たな病院運営改革ビジョン（素案）』を公表して、「地方独立行政法人　東京都病院機構（仮称）」の設立を打ち出す。これを見逃すわけにいかない。この機に、これまでの研究を世に問うことが本研究会の本務とした。

　「地方独立行政法人化は地方自治を消していく。福祉増進の自治体の役割から遠のく。しかも、経営改善のために役に立つ保証はない。看護現場と住民負担は増えていく」研究の結論である。真剣にお読み頂きたい。そしてご批判もいただきたい。

〇　「健康長寿医療センターの過去・現在・未来調査研究会」のメンバーと担当章
　安達智則（都留文科大学講師・東京自治問題研究所主任研究員、監修責任及び第2章）
　矢部広明（全国老人福祉問題研究会月刊ゆたかなくらし編集長、第4章・第7章）
　木村文彦（東京都庁関連法人一般労働組合、第1章）
　山本輝美（元都庁職養育院支部病院分会分会長、第6章）
　川上　哲（元東京自治問題研究所研究員、第3章・第5章）

＜連絡先＞　東京自治問題研究所内
　　　　　　「健康長寿医療センターの過去・現在・未来調査研究会」
　tokyo-jichiken@clok.ocn.ne.jp　監修責任　安達（090－1404－8639）

地方独立行政法人の社会科学による検証
10年経過した「健康長寿医療センター」の総合研究報告書

【目　　　次】

第1章　東京都健康長寿医療センター
　　　地方独立行政法人化の経過及び現状と問題点

はじめに

　2018年3月30日、都病院経営本部は「都立病院新改革実行プラン2018」を発表した。経営委員会報告を受け、同プランは「一般地方独立行政法人を含めた各経営形態における人事・給与、財務面等のメリットやデメリットなど、都立病院の運営実態を踏まえて検証を行い、経営形態のあり方について、本計画期間中に検討を進め」て行くとした。

　2019年12月3日、都議会第4回定例会が開催され、小池知事は所信表明で、今ある都立8病院と保健医療公社6病院の計14病院を「一体的に地方独立行政法人へ移行する準備を開始する」と方針を示した。同年12月25日、病院経営本部は、「新たな病院運営改革ビジョン（素案）」を公表し、パブコメを募集している。都立病院と保健医療、公社病院の地方独立行政法人化は、急激に動きが加速されようとしている。

　地方独立行政法人については、すでに旧養育院の東京都老人医療センターが、2009年4月に先行して地方独立行政法人化されている。本章では、改めて東京都老人医療センターの地方独立行政法人化の経過を振り返り、問題点を指摘する。

第1節　新自由主義による構造改革

　90年代後半から新自由主義による構造改革が開始された。98年には中央省庁等改革基本法が成立し、首相及び内閣府の権限強化及び中央省庁の統廃合が実施された。また、構造改革を実行するツールとしての法律も次々と成立させてきた。99年には独立行政法人通則法（国）、PFI法、02年には構造改革特区法、03年には地方独立行政法人法、地方自治法一部改正（指定管理者制度）、06年には市場化テスト法・行政改革推進法、07年に地方財政健全化法等が成立し、次々と施行された。総務省は、地方独立行政法人制度を導入する意義を「実施部門のうち事務・事業の垂直的減量を推進」、「地方行革に機動的、戦略的に対応するためのツール」としている。

　東京都においても下記のように福祉局・衛生局・養育院の統廃合が実施された。

東京都における局の統廃合
1997年　東京都高齢者施策推進室を設置。
（養育院・福祉局・衛生局の高齢者関係部門を統合。）
2000年　東京都養育院条例　廃止。
2001年　高齢者施策推進室を福祉局に統合。
2002年　衛生局を分割し、健康局と病院経営本部を設置。
2004年　福祉局と健康局を統合し、福祉保健局を設置。

◎　東京都養育院　（東京都健康長寿医療センター）

　養育院は 1872（明治 5）年 10 月、東京府本郷にて事業を開始。巷の生活困窮者等、240余人を本郷の元加賀藩邸跡の空き長屋に収容したことが嚆矢となっている。運営の原資は、営繕会議所共有金（江戸幕府老中の松平定信により創設された七分積金）である。明治 6年、東京医学校（現：東大医学部）と連携し、医療の提供を開始。現在の地方独立行政法人：東京都健康長寿医療センターは、養育院が淵源である。

　東京府知事大久保一翁から依頼を受け、渋沢栄一が 1876 年に養育院事務長、85 年に養育院長に就任し、以後 50 余年に渡り養育院長を務め、養育院の発展に尽力した。養育院はその後、上野、神田、本所、大塚など、東京市内を転々とし、1923（大正 12）年の関東大震災後、現在地の板橋区栄町に移転した。

　養育院の事業は、生活困窮者、行路病人等の保護、医療業務、院内授産事業、児童養護施設、職業紹介所、障害児・者の保護、看護婦・保母の養成、など次々と事業を拡大して行った。戦後は高齢者と知的障害児・者を所管する事業所に特化してきた。なかでも、1967年以来 3 期 12 年続いた美濃部革新都政の下で、飛躍的な発展を遂げた。1972 年には、養育院付属病院が前面改築され、東京都老人医療センターが開設、同時に老人総合研究所も開設され、福祉・医療・研究の総合的施設群として世界的にも注目される事業を推進した。

【　写真は旧養育院全景　手前が老人総合研究所、奥が老人医療センター　】

しかし、1997年7月に養育院・福祉局・衛生局の関係する高齢者関係部門が統合され、「高齢者施策推進室」が発足した。2000年には、前年12月の東京都養育院条例の廃止により、養育院の名称は廃止された。2001年、高齢者施策推進室は福祉局に統合された。

都庁職養育院支部は、戦後の混乱の中で職員の生活を守るために澎湃として労働組合を結成する当時の社会的な趨勢に呼応し、1946年3月に養育院内の明朗化、社会福祉予算獲得などを掲げて結成された。支部は結成以来、利用者と患者の人権といのちを尊重し、働く者の権利と生活向上を目指し、福祉と医療の充実を求めて運動を展開して来た。2000年には養育院条例の廃止によりその名称は廃止され、所管事業所は福祉局（当時）に移管された。だが、支部はその後も「養育院」の名称を堅持し、運動を進めて行った。

1．「都立病院改革」＝ 石原都政による都立病院つぶし

99年4月、石原都政が始動し、早くも7月には「財政再建推進プラン」をまとめ、11月には「危機突破戦略プラン」、2000年12月に「都庁改革アクションプラン」を発表し、自治体「構造改革」に着手した。さらに東京都は、03年には「第二次都庁改革アクションプラン」、06年「行革実行プログラム」を策定。総務局に「行革推進部」を設置し、不断の行革に取り組むとした。

2000年9月、「都立病院改革会議」（座長＝高久史麿・自治医科大学学長）が設置され、01年7月に「報告書」がまとめられた。都は、01年12月「都立病院改革マスタープラン」を策定。「安全・安心を支える質の高い『患者中心の医療』の実現と、都民に対する総体としての医療サービスの向上を図ることを目的として、『東京発医療改革』の核である都立病院改革を着実に推進するとした。

東京都は、「都立病院改革マスタープラン」策定以降も、「都立病院改革」のため次々と「改革」プラン等を策定して行った。2003年1月には、「都立病院改革実行プログラム」。2008年1月には、「第2次都立病院改革実行プログラム」。2013年3月には、「都立病院改革推進プラン」などである。これらの計画により、2001年の「都立病院改革マスタープラン」策定当時、16あった都立病院は8つにまで再編された。

```
┌─────────────────────────────────────────┐
│          これまでの都立病院改革プラン          │
│ ①「都立病院改革マスタープラン」     … （2001年12月）│
│ ②「都立病院改革実行プログラム」     … （2003年1月） │
│ ③「第2次都立病院改革実行プログラム」 … （2008年1月） │
│ ④「都立病院改革推進プラン」        … （2013年3月） │
│ ⑤「都立病院改革推進プラン」（追録版） … （2015年12月）│
└─────────────────────────────────────────┘
```

２．「都立病院改革マスタープラン」＝老人医療センターと豊島病院は統合し民営化

　「都立病院改革マスタープラン」では、都立病院を①「広域基幹病院」、②「センター的機能病院」、③「地域病院」の３類型に再編整備するとした。「地域病院」に分類された、都立大久保病院・多摩老人医療センター・荏原病院は、（財）東京都保健医療公社に移管し、将来は民営化を目指すとされた。また、清瀬小児、八王子小児、梅ヶ丘の三小児病院を府中に小児総合医療センターとして統廃合をするとした。

　さらに、都立老人医療センターと都立豊島病院は、両院を統合した上で、豊島病院の敷地内に「高齢者医療センター併設地域病院」を設置し、老人医療センターの敷地には、民間による介護療養型医療施設を設置するとした。統合後の「高齢者医療センター併設地域病院」も、経営は民間に委ねるとした。03 年１月の「都立病院改革実行プログラム」でも、引き続き老人医療センターと豊島病院は、統合した上で「高齢者医療センター併設地域病院」として、両院の民営化を進めるとした。

３．多摩老人医療センター　保健医療公社移管反対の闘い

　「都立病院改革マスタープラン」のなかで、多摩老人医療センターは「地域病院」と分類され、保健医療公社への移管対象とされた。都庁職養育院支部は東村山分会と「高齢者専門病院多摩老人医療センターを守る会」を結成してたたかうと共に、同計画に含まれていた清瀬小児病院の府中への統合・移管に反対する衛生局支部の仲間とも連帯し、共同して同計画に反対し、東村山・清瀬地区の地域医療を守る闘いを展開した。

　多摩地域でのたたかいを主導してきた東村山分会は、多摩老人医療センターにかかわりのある多摩地域の市民に「都立老人病院がなくなる」という高齢者医療切り捨ての都政の在り方を訴え、対策委員会を組織した。三多摩労連、地区労、一般市民などが委員となり、ビラ配布、団体署名、駅頭での訴えなどの運動を精力的に進めてきた。さらに、都や東村山市への要請署名、清瀬や久米川等の駅頭宣伝、ニュース「月草」の発行、「多摩老人医療センターを守る会」を結成、反対運動を旺盛に展開してきた。

　市民の生の声を聞くために、2004 年 10 月から「都民ハガキ付きアンケート」を多摩北部５市（東村山・小平・東久留米・清瀬・西東京）に配布したところ、短期間で１５００通にのぼる返信が寄せられ、９割以上の方から運動に対する賛同の声が寄せられた。2005年２月に発表した結果では、59％が多摩老人医療センターで診療を受けている患者等で、そのなかで老人専門病院ではなくなることに 95％が「困る」、公社化することに 87.9％が「困る」と回答していた。

　しかし、こうした地域住民や養育院支部・衛生局支部等のたたかいにもかかわらず、都当局と都議会では共産党を除く自民・公明・民主・生活者ネットの賛成で、2005 年４月に

多摩老人医療センターは、保健医療公社に移管、名称も「多摩北部医療センター」に変更された。

４．老人医療センターと豊島病院の統合・民営化反対の闘い

養育院支部は、先に述べた石原都政の「都立病院改革マスタープラン」による都立病院大リストラ攻撃に対し、都庁職、衛生局支部・保健所支部・病院支部、東京医労連、障都連などの都段階の広範な諸団体と共に「東京の保健・衛生医療の充実を求める連絡会」を結成し、東京都全域を対象にさまざまな運動を展開してきた。また養老院支部が事務局を担い、「養育院の充実と発展を求める連絡会」も立ち上げ、支部のある板橋地域の板橋区労連、板橋社保協、民主団体、知識人など関わりのある団体・個人などに幅広く呼びかけて、運動を展開した。

【　写真は旧養育院・東京都老人医療センター　】

この間、2001年9月、「養育院と豊島病院を守る会」を板橋地域段階で発足させると共に、以降同年11月には支部と衛生3支部共同の「都立病院シンポジウム」、2002年2月に

は「マスタープラン学習報告集会」、同年11月30日に「東京の福祉と医療を考える集い」、2004年5月22日「老人医療センターと豊島病院の民営化を考える集い～都立病院でなくなるとどうなるの?」、同年9月14日「養育院と豊島病院を守る決起集会」などを開催して来た。

　また、「養育院(老人医療センター)と豊島病院を守る会」が中心となり、板橋区内各駅(大山・中板橋・板橋区役所前)での定例駅頭宣伝、養育院正門や豊島病院におけるロングラン宣伝行動、大山商店街宣伝行動、「老人医療センターのあり方を考える」「どうなる老人医療センターと豊島病院」「都立病院の法人化・公社化を考える」などのシンポジウム、学習会などを板橋区内外の関係労働組合や民主団体、板橋区労連・老人医療センターと豊島病院の外来利用の患者・家族をはじめ広範な区民・都民の参加をえて取り組んできた。

	板　橋　区	東　京　都
資産の取扱	○土地、機器・備品については、原則無償譲渡、又は無償貸付とする。 ○建物・構築物については、移管に伴う費用として、財政的に負担可能な額は年3億円を上限とする。 (平成41年度末まで)	○病院は企業会計であるため、資産の譲渡に当たっては、現在の資産額による有償譲渡となる。 ○建物・構築物の移管に伴う費用は年約13.9億円とする。 (平成41年度末まで)

《参考》
　豊島病院関連の資産状況は、以下に掲げるとおりである。

豊島病院関連の資産の状況

項　　目	資　産　額	備　　考
土地 (25,015 ㎡)	約90億円 (平成15年度評価)	
建物・構築物 (49,799 ㎡)	約181億円 (平成18年度末帳簿価格)	企業債残高 237億円 未償還利息額 62億円 返済総額 299億円
医療機器	約7億円 (平成18年度末帳簿価格)	

　上記の表は『都立豊島病院の板橋区移管に関する基本的方向について―「都立豊島病院の区移管に関する板橋区と東京都との協議会」まとめ―』平成17年9月　板橋区・東京都

板橋区議会にも働きかけ、板橋区議会では「養育院（老人医療センター）と豊島病院を守る」陳情が全会一致で採択された。項目として、老人医療センター改築に当たり７００床を確保すること、対象患者を急性期に限定せず、回復期患者も対象とすること等の項目が採択され、板橋区議会議長名で、東京都知事あての「意見書」が提出された。

　さらに板橋区は、都立豊島病院の板橋区への移管について検討を開始し、04年3月、「都立豊島病院の区移管に関する板橋区と東京都の協議会」が設置された。同年8月には「中間のまとめ」が公表された。

　2005年9月、『都立豊島病院の板橋区移管に関する基本的方向について―「都立豊島病院の区移管に関する板橋区と東京都の協議会」まとめ―』が公表された。豊島病院関連の資産の取り扱いにつき、板橋区と東京都の主張に大きな乖離があることが判明した。

　2005年10月、結局、東京都と板橋区は豊島病院の区移管を断念した。東京都病院経営本部は、統合計画を「白紙に戻す」とした。

第2節　「行財政改革実行プログラム」による地方独立行政法人化、保健医療公社移管

　2001年12月「都立病院改革マスタープラン」では、老人医療センターと豊島病院は、統合した上で両院は民営化としていた。しかし、05年10月には地元板橋での反対運動の高揚や板橋区との協議も不調に終わり、この計画は完全に破綻した。

　都は新たに「行財政改革実行プログラム」（06年7月）を公表した。ここでは、（二）多様な経営改革手法の導入の項で、（地方独立行政法人制度）、（市場化テスト）、（指定管理者制度）、（PFI）、（民間委託、人材派遣）等が挙げられた。「これらの多様な経営手法を十分精査した上、積極的に導入することで、一層効率的な都政運営に努めて」行くとした。

　「行財政改革実行プログラム」では、①地方独立行政法人制度の活用の項で、老人医療センターについては、「効率的で柔軟な事業運営が可能となる地方独立行政法人化を目指」

「行財政改革実行プログラム」（2006, 7）東京都
　　　【主要な改革項目】
① 都立病院などの新たな経営形態の検討（地方独立行政法人化）
② 公営企業改革（直営部門をコア事業に特化、他は監理団体・民間事業者を積極的活用して定数削減など）
③ 新たな職員定数削減（今後3年間で4,000人）
④ 監理団体改革（統廃合・民営化・都派遣職員等の削減など）
⑤ 東京都版市場化テストの導入　　　⑥ 指定管理者制度の拡大、等。

すとされた。また、豊島病院については、「(財)東京都保健医療公社への移管を視野に入れた再検討を行い、新しい運営形態への移行に向けた準備」に入ると方向性が示された。

07年1月、都病院経営本部は『今後の豊島病院のあり方について』を公表した。同文書「行財政改革実行プログラム」で示された基本方向に沿い、「豊島病院については、地域病院として機能を充実させていくものとし、16年にわたる地域病院の運営実績を有し、さらに三つの都立病院の運営移管を受け、地域病院として安定的に運営してきた(財)東京都保健医療公社に運営を移管する」され、09年度当初の移管を目指すとされた。

08年1月、都病院経営本部は「第二次都立病院改革実行プログラム」を公表。そこでは「豊島病院は、地元区の患者比率が半数を占め、他の医療機関からの紹介率も6割に達するなど、地域に密着した運営を展開しています。今後は財団法人東京都保健医療公社へ運営を移管することとし、地域医療支援病院を目指した病院運営を行います」と明記。09年4月1日、都立豊島病院は東京都から(財)東京都保健医療公社に移管された。

1．東京都老人医療センター　地方独立行政法人化の経過

2007年5月、都福祉保健局は『板橋キャンパス再編整備基本構想』を公表した。同じく「行財政改革実行プログラム」で示された基本方向に沿い、「老人医療センターと老人総合研究所を一体化し『健康長寿医療センター（仮称）』を設立する」とした。

2008年2月『板橋キャンパス再編整備基本計画』でも、「高齢化が急速に進行する中、都は高齢者を取り巻く課題を解決する役割を負っている。これを実現するためには、センターと研究所がこれまで培ってきた高齢者医療、廊下・老年病研究に関する高度なノウハウを強みとして最大限活用することが有効である。このため、両施設を一体化し、健康長寿医療センター（仮称）を設立し、併せて経営環境の整備を進めていく」とされた。その運営形態は、公営企業型地方独立行政法人とし、一般型（非公務員型）とするとした。

2．老人医療センター地方独立行政法人化反対の闘い

2001年9月に「養育院と豊島病院を守る会」を板橋地域段階で発足させ、「都立病院改革マスタープラン」による老人医療センターと豊島病院の民営化反対の闘いを粘り強く継続してきたが、両院を統合して民営化する構想は破綻を見た。その後は、「行財政改革実行プログラム」（06年7月）により、老人医療センターは地方独立行政法人化、豊島病院は（財）保健医療公社移管への検討が示された。

これまで「養育院（老人医療センター）と豊島病院を守る会」が中心となり、板橋区内各駅（大山・中板橋・板橋区役所前）での定例駅頭宣伝、大山商店街宣伝行動などを板橋区内外の関係労働組合や民主団体、板橋区労連などと共に取り組んできた。

行財政改革実行プログラム」（06年7月）、「板橋キャンパス再編整備基本構想」（07年5

月）以降は、老人医療センター地方独立行政法人化反対の闘いに取り組むことになった。

　2006年10月6日「老人医療センターと豊島病院守る会学習報告集会」、2007年2月10日「老人医療センターのあり方を考える～地方独立法人化は何をもたらすのか」、同年12月2日シンポ「老人医療センターのあり方を考える－地方独立行政法人化は何をもたらすのか　パートⅡ」、2008年3月29日シンポジウム「どうなる老人医療センターと豊島病院学習報告集会」など、ほぼ10年間に11回のシンポジウムや集会の開催などの多彩な取り組みを行って、都当局の不当な都立病院つぶしに反対してきた。

　「板橋キャンパス再編整備基本計画」（2008年2月）が示された、そのわずか7ヵ月後の08年9月には、第三回定例都議会に、地方独立行政法人東京都健康長寿医療センターの「定款」及び重要な財産を定める条例を上程、可決。第四回定例都議会（12月）では、中期目標及び東京都老人医療センター廃止条例等を上程・可決。都議会では、自民・公明が多数を占め、全くあっけなく関係条例が可決された。反対を貫いたのは日本共産党都議団のみであった。

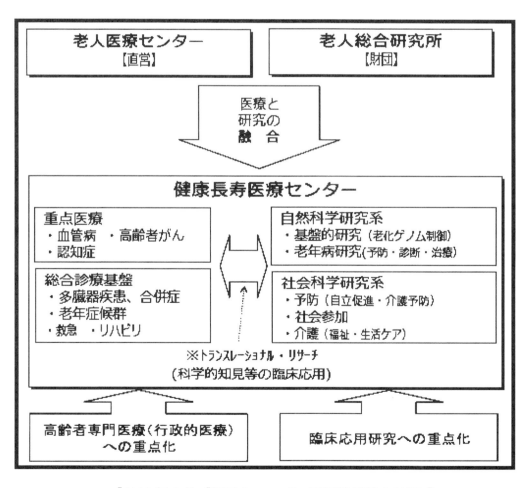

【2008年2月「板橋キャンパス再編整備基本計画」】

```
┌─────────────────────────────────────────────────────────────┐
│          ◇ 東京都議会での関係条例廃止・新条例の可決          │
│   第3回定例都議会＝2008年9月18日～10月6日                   │
│   ①  第171号議案                                            │
│    「地方独立行政法人東京都健康長寿医療センターに係る地方独立行政法人法 │
│    第44条第1項で定める重要な財産を定める条例」              │
│   ②  第197号議案                                            │
│    「地方独立行政法人東京都健康長寿医療センター定款について」 │
│   第4回定例都議会＝2008年12月2日～17日                      │
│   ③  第227号議案                                            │
│    「東京都老人医療センター条例を廃止する条例」              │
│   ④  第245号議                                              │
│    「地方独立行政法人東京都健康長寿医療センター中期目標について │
└─────────────────────────────────────────────────────────────┘
```

3．地方独立行政法人化に向けた動き

① 東京都老人医療センター職員定数削減＝676人　→　0

（皆減　2009年度東京都予算原案・職員定数査定＝09年1月16日）

　2008年の都議会で、地方独立行政法人東京都健康長寿医療センター「定款」、「中期目標」が可決され、東京都老人医療センター条例を廃止する条例も可決された。年が明けて都知事による予算・定数査定では、676人の東京都老人医療センター職員定数は、0とされた。

　地方独立行政法では、当該地方独立行政法人が設立された日をもって、「別に辞令が発せられない限り」、当該地方独立行政法人の職員になる（法五九条）とされている。

② 地方独立行政法人化に伴う病棟削減・再編

　地方独立行政法人東京都健康長寿医療センター(新病院)の病床数は550床とされた。老人医療センターの法定病床数は711床。運用病床数は16病棟・646床であった。そのため新病院への移転に合わせて当面2病棟を閉鎖し、85床を削減した。旧老人医療センターで、14病棟、561床で運用を継続した。閉鎖した2病棟は、会議室等に転用した。法定病床数711床との差は、161床であり、一挙に中規模病院が消滅した様な暴挙であった。当時、二次医療圏・区西北部の既存病床数は、基準病床数を満たしていなかった。その中でのベッド数削減である。

　「板橋キャンパス再編整備基本計画」（2008年2月）では、老朽化した老人医療センターは、老人総合研究所と一体化して「地方独立行政法人東京都健康長寿医療センター（仮称）」の新施設を建替え整備するとされた。

③　独立行政法人への身分移管（医師・研究者等…設立の日）

　東京都老人医療センターの医師及び（財団法人）東京都老人総合研究所の医師・研究者は、09年4月1日、地方独立行政法人東京都健康長寿医療センターが設立した日をもって、当該地方独立行政法人の職人へと身分移管された。

　事務・看護師・コメディカル等の職員は、「公益法人等への一般職の地方公務員の派遣等に関する法律」及び「公益法人等への東京都職員の派遣等に関する条例」に基づき、地方独立行政法人東京都健康長寿医療センターへの、一般職の派遣とされた。

④　総務大臣の認可（地方独立行政法人法第七条）

　09年3月26日、ようやく地方独立行政法人東京都健康長寿医療センターへの総務大臣認可が下りた。地方独立行政法人として事業を開始予定の五日前である。2009年4月1日、東京都老人医療センターは、（財団法人）東京都老人総合研究所と一体的に統合し、地方独立行政法人とされ、名称も「東京都健康長寿医療センター」に変更された。

　地方独立行政法人の理事長は、都知事が任命するが、初代理事長及び経営企画局長は、外部から招聘された。

【　写真は地方独立行政法人　東京都健康長寿医療センター　】

第3節　地方独立行政法人の問題点

1．行政的医療が安定して提供できない

効率優先・医業収益優先の病院経営がまかり通れば、不採算部門の象徴といえる「行政的医療」（周産期医療・小児医療・高度先進医療・救急医療等）の見直し、縮小・後退につながる可能性がある。また、公立病院の役割でもある、がん・循環器等、高度・先進医療についても質が低下する恐れがある。

2．患者・都民サービスの低下

効率優先の病院経営となれば、採算重視・採算に合わない標榜診療科目の見直し、再編、縮小等につながる可能性がある。現に老人医療センターの法定病床数は７１１床であったが、地方独立行政法人化に際し、161床も削減され、健康長寿医療センター（新病院）の病床数は５５０床とされた。また、在院日数の圧縮・退院の強要などサービス低下も懸念される。都民が安心して受診できない。

3．患者負担の増大・有料個室の導入、各種料金見直し

地方独立行政法人「東京都健康長寿医療センター」は、病床数５５０（一般５２０、精神３０）。旧老人医療センターの時代は、原則差額ベッドの徴収はしなかった。

しかし新病院は、１４０室（２５％）が個室とされた。内訳は、一般病棟特別室S26,000円(三)、個室C14,000円(八〇)、個室D11,000円(四七)、緩和ケア個室A18,000円(六)、個室B16,000円(四)。さらに有料個室を使用する場合、入院時に保証金１０万円を現金で支払うとされた。新病院の個室は、１４０室（２５％）既存の都立病院の個室の割合（概ね10％）と比較して、極めて高い割合である。

4．効率優先ではでは安定した運営ができない

「地方独立行政法人」は、設立団体の長＝都知事が作成する「中期目標」に拘束される。この目標を具体化し達成するため「中期計画」を作成し、都知事の許可を受ける（法26条）。病院の安定した経営の一助である「運営交付金」は要であるが、独立行政法人国立病院機構や公立大学法人首都大学東京で効率化係数により計画的に「運営交付金」が削減されている。東京都健康長寿医療センターも１％の効率化係数がかけられている。

病院の小児科は、典型的な不採算医療であり、資金不足をクラウドファンディングに頼る動きが出てきている。国立育成医療研究センターは、無菌室二床の新設費。長野県立こども病院は、ドクターカーの購入費用。大阪母子医療センターは、保育器の購入資金をクラウドファンディングに頼り善意の寄付を集めた。

５．　一般地方独立行政法人では公務員身分を失い、賃金・労働条件が切り下げられる

　　一般地方独立行政法人（非公務員型）は、法人設立の日をもって公務員としての身分を失う。「付帯決議」では、「地方独立行政法人への移行に際しては、雇用問題・労働条件について配慮をして、関係職員団体または関係労働組合と十分な意思疎通が行われるよう必要な助言等を行う」とされているが、時間的な制約もあり労働条件等に付き十分な労使協議は出来なかった。

　　当局が独法化する最大の狙いは、人件費の抑制にある。地方独立行政法人では、独自の人事・給与制度の構築が可能となる。賃金については、地方公務員法の生計費原則などは考慮されない。健康長寿医療センターでは、「複合型成果主義給与制度」が導入された。

６．　議会・都民によるチェック機能が喪失

　　地方独立行政法人の理事長は都知事が任命し、理事は理事長が任命するトップダウンの人事が貫徹されている。地方独立行政法人の業務運営の「監査」は、「評価委員会」が実施。この評価委員も都知事が任命。数名の評価委員で監査を済ます。つまり、地方独立行政法人の業務運営は都から離れ、都民や都議会のチェック機能が及ばない。

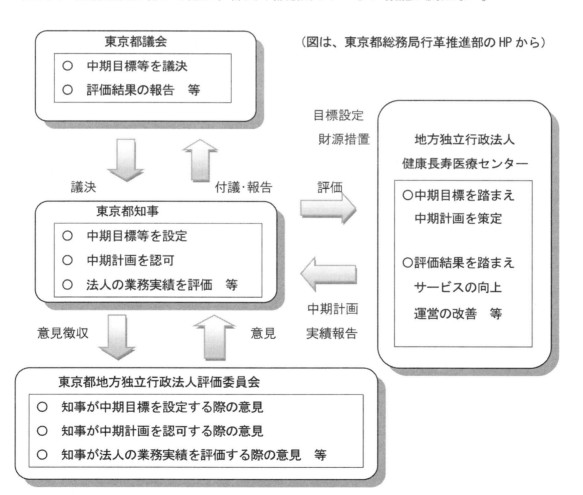

（図は、東京都総務局行革推進部のHPから）

7. 事業継続の必要性がなければ廃止も

地方独立行政法人は、「中期目標」（三〜五年間）の期間が終了すると、その事業継続の必要性や、組織のあり方を検討するとされている（法三一条）。もし、事業継続の必要性が脆弱であれば、最悪の場合解散・廃止もありえる。

業務実績は、知事により評価される。「東京都地方独立行政法人評価委員会」は、都における知事の付属機関として設置され、業務の実績評価等に対し、評価委員会の意見を知事に提出する。「東京都地方独立行政法人評価委員会」には、公立大学分科会、試験研究分科会、高齢者医療・研究分科会が設置されている。

第4節　東京都健康長寿医療センター・新病院の建設

旧養育院の板橋キャンパスは、東武東上線を挟んで東側に栄町用地（50,935 ㎡）、西側に仲町用地（23,852 ㎡）、合わせて約７５，０００㎡の広大な敷地を有していた。

栄町用地に設置されていた「板橋老人ホーム」（養護老人ホーム）は、早々と分散改築により更地となっていた。「板橋ナーシングホーム」（介護保険施設）は、「板橋キャンパス再編整備基本計画」により、「民間の力を活用した運営形態への転換する」とされ、「新たな板橋キャンパスのゾーニング図」では、仲町用地に介護保険施設（B）に整備するとされた。

【現状配置図】

【「現状配置図」及び「ゾーニング図」は、「板橋キャンパス再編整備基本計画」による】

14

2000年4月、「都における看護職員養成に関する検討会」（最終報告）が公表されている。同最終報告では、「都立看護専門学校の再編計画」で、「・近接する学校については、統廃合により整理する」、「・主な実習教育の場である総合病院を隣接地域に確保できない学校は、廃止する方向で検討する」、「・施設、敷地の限界から改修が困難な学校は、廃止する方向で検討する」とされた。

この再編方針に基づき、2003年3月に公衆衛生看護専門学校を閉校（廃止）、2004年3月に豊島と大塚看護専門学校を閉校（廃止）、2005年3月には松沢看護専門学校を閉校した。石原都政により、4看護専門学校が閉校され、当時11校あった看護専門学校は7校までに再編された。99年度・11校当時の看護学生総定員は、3600人であったが、4校が廃止され、2010年度7校の看護学生総定員は、1680人と半減以下とされた。

「現状配置図」の栄町エリアに「旧豊島看護専門学校用地」とあるが、これは廃止された旧豊島看護専門学校の跡地（更地）である。この旧豊島看護専門学校の跡地（板橋区栄町34番1号）に、旧養育院の所管であった板橋看護専門学校（板橋区仲町1番1号）が移転し、全面改築工事が実施された。

【新たな板橋キャンパスのゾーニング図】

「板橋キャンパス再編整備基本計画」により、老人医療センターと（財）老人総合研究所は、09年4月に地方独立行政法人とされた。この「計画」で老朽化した老人医療センターは、老人

総合研究所と一体化して新築工事をすることとされた。新センター（健康長寿医療センター）は、主に旧板橋老人ホーム跡地及び講堂・広場を含む、栄町の新センターゾーン（A）に建設することとなった。整備主体は、「運営主体である地方独立行政法人が整備を行う」とされた。

この新センター建設工事に際し、新施設建設予定地の土地1万9,382, 23 ㎡（旧板橋老人ホーム跡地等）、評価額101億1946万283円を、地方独立行政法人健康長寿医療センターの重要財産として、東京都から譲渡された。（元は東京都養育院の土地である。一方的に地方独立行政法人にして、都から切り離したため、煩雑な手続きを要することになった。）

「同計画」では、この新築工事の概算費用を３４０億円と見積もっていた。その後予定額は、３２１億円とされた。入札に際し、その予定価格は、224億5863万7950円とされた。6社が入札に応じたが、落札業者は戸田建設株式会社であり、実際の落札価格は、１２５億円であった（当時、5％の消費税を含むと131億2500万円）。当初の予定額の40％程度での落札である。地方独立行政法人には、新施設建設の自己資金がない。選定委員会としても最低価格を提示した業者に決めざるを得なかったようだ。

この経費は、東京都無利子貸付金及び施設整備補助金で措置された。新施設（病院・研究所）は、2013年に竣工した。地方独立行政法人東京都健康長寿医療センターは、経営が改善することなく、その上長期返済としてこの東京都無利子貸付金を償却（返済）している。

現在、都（病院経営本部）は、都立8病院と保健医療公社6病院の計14病院を「一体的に地方独立行政法人へ移行する準備を開始する」との方針を明示した。いま、都立広尾病院や都立神経病院が老朽化に伴い全面改築の計画がある。しかし、都立病院及び保健医療公社病院が一体的に地方独立行政法人化された後に、大規模改修工事や全面改築を行う場合、健康長寿医療センターの例で明らかなように、その予算・財源が大問題になる。

東京都健康長寿医療センター・新築工事
○ 新施設・新築工事
- 病床数　　550床・（研究所含む）延床面積　64499.561 ㎡
- 重要財産　土地　1万9382.23 ㎡（旧板橋老人ホーム跡地）
- 評価額　　101億1946万283円
- 予定額　　321億2200万円（都無利子貸付金・施設整備補助等）
- 予定価格　224億5863万7950円
- 落札価格　125億円（131億2500万円　消費税5％込）…当時
- 落札業者　戸田建設株式会社　・決定日　2010年12月20日

◇ PFI（Private Finance Initiative）事業との比較

　都立病院の PFI については、「第 2 次都立病院改革実行プログラム」（2008 年 1 月）に基づき、「多摩総合医療センター及び小児総合医療センター」、「駒込病院」、「松沢病院」の 4 病院を PFI 手法で再編事業と病院本体業務以外の周辺事業について実施されてきている。

　地方独立行政法人東京都健康長寿医療センターの新築工事とは真逆に、落札価格は予定価格の 99％にまで近接した。しかも、大企業が独占している。今後も、都立病院の PFI による再編整備が検討されているが、都立病院の PFI 事業は問題が多い。

```
┌─────────────────────────────────────────────────────────┐
│          都立病院の PFI による再編整備事業                │
│ 2010 年 3 月　多摩総合医療センター　┐                    │
│                                      ├→清水建設（株）＝ 2490 億円 │
│               小児総合医療センター　┘                    │
│ 2011 年 9 月　駒　込　病　院　　　　→三菱商事（株）＝ 1861 億円 │
│ 2012 年 5 月　松　沢　病　院　　　　→日　　揮（株）＝　735 億円 │
└─────────────────────────────────────────────────────────┘
```

第 5 節　都立病院は地方独立行政法人化すべきではない

　2001 年 12 月の「都立病院改革マスタープラン」では、東京都老人医療センターと都立豊島病院は、統合した上で「高齢者医療センター併設地域病院」とし、両院は民営化するとした。しかし、2 つの都立病院が同時に都立で無くなるとの地元板橋での猛烈な反対運動の高揚があり、豊島病院の区立病院化構想も、板橋区との協議が不調に終わり、2005 年 10 月、この計画は完全に破綻した。

　都は新たに「行財政改革実行プログラム」（06 年 7 月）を公表した。同「行革プログラム」は、地方独立行政法人制度の活用の項で、老人医療センターについては、「効率的で柔軟な事業運営が可能となる地方独立行政法人化を目指」すとされた。07 年 5 月、都福祉保健局は『板橋キャンパス再編整備基本構想』を公表した。「行革実行プログラム」の基本方向に沿い、「老人医療センターと老人総合研究所を一体化し『健康長寿医療センター(仮称)』を設立する」とした。

　翌年には「同基本計画」（08 年 2 月）を策定し、老人医療センターについては、（財）老人総合研究所と統合して地方独立行政法人化するとした。「板橋キャンパス再編整備基本計画」が示された、そのわずか七か月後の 08 年 9 月には定例都議会に、地方独立行政法人の「定款」及び重要な財産を定める条例が可決。12 月都議会では、中期目標・東京都老人医療センター廃止条例等が可決された。

　極めて一方的で短期間に、東京都老人医療センターの地方独立行政法人化が実施された。

老人医療センターの職員定数は皆減され、法人設立の日をもって職員は、東京都職員（地方公務員）の身分を失った。人事・給与制度も、複合型成果主義賃金が導入され、人件費は抑制され、生涯賃金で都職員を下回る。地方独立行政法人化を機会に、７１１床あった病床は５５０床にまで一方的に削減された。さらに大幅に有料個室（２５％）が導入され、入院負担金（１０万円）が必要となり、患者・都民の負担が増大した。

　旧養育院：老人医療センターの頃は、生活保護世帯や低所得者のための板橋老人ホーム（養護老人ホーム）及び板橋ナーシングホーム（介護保険施設）の併設医療機関として、有料個室料金は一切徴収していなかった。

　地方独立行政法人は、独立採算制を強いられるため、第三期「中期計画」をより具体化した「平成 31 年度計画」では、経常収支比率＝96，7％、医業収支比率＝84，0％、病床利用率（病院全体）＝86，9％、平均在院日数（病院全体）＝12，2日、など大変高い数値目標が掲げられている。数値目標を追及するのではなく、良質で安定した行政的医療を継続して提供するためにも、都立直営の医療機関に戻すべきである。

　とりわけ、東京都健康長寿医療センターは、2009 年 4 月に地方独立行政法人化され、その後に老人総合研究所と一体化した「新施設」（2013 年竣工）を、地方独立行政法人が主体となり、建設することとなった。財源は、東京都からの無利子貸付金・施設整備補助金であり、未だに借金返済に苦しんでいる。第三期「中期計画」の予算書では、平成 30 年度から平成 34 年度までの「長期借入金償還金」は、39 億 6600 万円となっている。

　「板橋キャンパス再編整備基本計画」では、健康長寿医療センター（老人総合研究所）の分野につき、「研究（産・学・公の積極的な連携)」の項で、「〇　多様化するニーズに応えていくために、産・学・公と連携を図り、有用な人材の確保や、研究資金の獲得に努めていく」とされた。

　「平成 31 年度計画」を見ると、科学研究費助成事業など、文部科学省や厚生労働省などの競争的資金への積極的な応募や、共同研究・受託研究を推進するとしている。具体的には「民間企業や自治体、大学等の研究機関との産官学連携活動を活用し、老年学における基礎・応用・開発研究に積極的に取り組む。また、次世代医用技術として期待される ICT、AI、及びロボット技術等の研究・医工連携等についても積極的に関与する」としている。

　研究者も「複合型成果主義賃金」の関係で、実績を出すため基礎研究が軽視されたり、過度な研究資金獲得のための産官学の癒着などが懸念される。

　地方独立行政法人東京都健康長寿医療センターは、独法化後 10 年が経過した。現場職員は必至の努力を行っているが、制度的な問題点は本稿で指摘したとおりである。現在残されている都立 8 病院は、絶対に地方独立行政法人化すべきではない。都立 8 病院は、都立直営を堅持すべきである。

第2章　地方独立行政法人・東京都健康長寿医療センターの行政分析

——地方自治の復権、そして患者主権の確立を求めて

はじめに

　本章では、先行研究が不足している地方独立行政法人の実態分析について、主には行政分析の視点を用いて、東京都健康長寿医療センター（以下、「健康長寿医療センター」と略）の現状を明らかにしていきたい。

　行政分析の視点には、小池都政が進めようとしている「都立病院・公社病院」の地方独立行政法人化の妥当性・合理性を審問することも含まれている。妥当性・合理性を証明する責務は東京都にあるが、すでに先行して１０年が経過している健康長寿医療センターの現状を明らかにすることは、本研究会を発足させた目的でもある。

　その妥当性・合理性を明らかにするために、東京都や健康長寿医療センターのＨＰで入手できる公表資料に留まらず、情報公開制度を活用して、行政分析を進めてきた。

　地方独立行政法人化された法人に対して、情報公開制度が適用されるのかどうかですら、研究会のスタートの時はよく分らなかった。公立病院や行政学研究者の間において、その制度を使った行政分析技術について共通認識として確立されていたとは、いえないかもしれない。

　本研究会において、地方独立行政法人化された健康長寿医療センターは、東京都の情報公開条例において対象機関になっていることを把握して、当該健康長寿医療センターに対して、議事録等の情報公開の請求を行い、公開された。

　地方独立行政法人の行政分析として、情報公開制度は有効であった。同時に結論の一つを先に述べておくと、行政手続法・行政手続条例に基づくパブリックコメント制度（住民・患者さんによる意見公募手続）は、存在しないことも分かった。

　本章の構成は次の通りである。

第１節　地方独立行政法人とは何か
第２節　予算単年度で運営されている地方独立行政法人
第３節　情報公開の活用による地方独立行政法人実態の解明
第４節　市民参加が欠落する地方独立行政法人
　　　　——行政評価の変質、パブリックコメントの欠落
第５節　住民参加の改革・患者主権の拡充を求めて

第 1 節　地方独立行政法人とは何か

1　2000年行政の転換点

　地方独立行政法人は、根拠となる法律が制定されている。2003（平成15）年7月16日に「地方独立行政法人法」が制定。2004（平成16）年4月1日施行。

　国の場合は、これに先だって「独立行政法人通則法」が1999年（平成11）年7月16日に制定されている。「独立行政法人通則法」は、内閣法の一部改正法律の施行と同時期とされていた。

　1999年の内閣法一部改正は、総理大臣の権限強化を狙いにした「内閣官房」強化を含んで、トップダウンの国家運営ができるための改正であった。

　今日の安倍政権においても顕著になっている内閣官房・内閣府の行政権限の集中化（集中化に伴う行政文書管理の不徹底、行政の暗部化・腐敗化）は、「森友・加計問題」「桜の問題」等に見られるように、国民の知る権利を拡大したものではなかった。

　1999年の翌年の2000年は、地方自治の転換点、都政・区政の転換点であった。

　全国に共通する地方分権改革が本格的にスタートした2000年。それまでの機関委任事務（団体委任事務）体系から、自治事務体系へと制度上は、国から独立した自治体になりえる環境となった。自治事務体系とは、国の介入・遵守を求める「法定受託事務」以外は、自治体が「地方政府」として、独自に行財政運営（条例制定領域の拡大含む）ができることを指している。自由な団体自治の領域が拡大したと言い換えることもできよう。

　東京都固有の転換点は、清掃行政の区移管が2000年だったことである。1970年代から問われてきた清掃の区移管問題が決着した2000年は、地方分権改革と重ねて東京都の行財政改革が進行していった。

　さらに区市町村の医療福祉分野において大きな変化となった介護保険制度の出発点が、2000年だったことも改めて想起されてよいことである。

　国政から都政・区政まで、大転換の2000年を過ぎた2001（平成13）年4月1日、国政の分野において独立行政法人が発足した。

　自治体は、それに遅れて2004年から地方独立行政法人化された組織が動き出した。

2　独立行政法人とは何か

　行政学のテキストを点検しておこう。

　初学者のためのテキスト『はじめての行政学』[1]では、次のような説明になっている。

---

[1] 伊藤政次・出雲明子・手塚洋輔著『はじめての行政学』（有斐閣、2016年）118pから引用。

「独立行政法人は、これまで述べてきた組織（ＮＰＯ・特殊法人等を指す、筆者）の中では最も新しい法人であり、イギリスのエージェンシーにならって、２００１年の中央省庁等改革にあわせて創設された。

　独立行政法人は、法律に基づいて主務大臣の監督のもとに置かれる。主務大臣は、国の政策目標に沿って法人の『中期目標』を設定するが、独立行政法人はこれを受けて目標の実現に向けた具体的な方法を検討し、『中期計画』を策定し、民間企業の経営手法を取り入れた自律的な組織運営が期待されている。

　法人の活動に必要な費用の多くが国から『運営交付金』として支給されるが、自ら資金を調達し、必要な収入も得て採算性を伴う経営が求められる。」

　これは、地方独立行政法人化に伴っても同型となる。つまり、都知事部局は「中期目標」を設定して、健康長寿医療センターは「中期計画」を策定している。自ら資金を調達することは、健康長寿医療センターでも行われている。研究調査における民間企業の支援、患者さんから入院時に１０万円を先払いすること（「入院予約金制度」という）等が取り組まれている。テキストでは、続けて

　　「会計処理は民間企業と同じような企業会計原則に基づき、行政機関の官庁予算や単年度の制約に縛られない。職員の採用や給与決定の自律性も高い。」

　と記述している。初学者のためのテキストのために、詳細に記述することへの限界はあるが、行政学のテキストで書かれている「官庁予算・単年度の縛りがない」「職員の採用の自律性高い」ことは、東京都が都立病院を地方独立行政法人化する目的・狙いと一致する。

　問題は、本当に予算単年度の縛りがないのか、職員採用は自律性が高いのか、その証明である。

　現実の独立行政法人・地方独立行政法人の現実はそのようなテキストの通りには、なっていない。次の節で予算単年度の運営実態を見ていくことにするが、「給与決定の自律性」、つまり看護師等の人件費を削減できること、人員体制も縮小可能であること、こちらは本当に実行されていることは、健康長寿医療センターの調査で明らかになった。

3　非公務員型しかない地方独立行政法人

　人事問題としては、肝心なこととして、かつては地方独立行政法人化に際しては「非公務員型」と「公務員型」の2つがあった。しかし、現状の段階では「公務員型」が消えて、「非公務員型」しかない。

　都立病院の地方独立行政法人化が行われれば、都職員（自治体職員）の身分が消滅することとなる。身分を地方独立行政法人化に移管するか、が問われることとなる。

　そのような変化は、独立行政法人・地方独立行政法人の行政改革の狙いを鮮明にしている。公務員を減らし、民間企業化への橋渡しとしての独立行政法人・地方独立行政法人という性格である。

　総務省は、次のように「新公立病院改革ガイドライン　Ｑ＆Ａ」（『公立病院経営改革事例集』、２０１６年３月）で解説している。

　　「②　経営形態の見直しに係る選択肢と留意事項

　　　Ｑ４９　経営形態の見直しに関して考えられる選択肢には『地方独立行政法人（公務員型）』は想定されていないのか。
　　　Ａ４９　『簡素で効率的な政府を実現するための行政改革の推進に関する法律（平成１８年法律第４７号）により、地方公営企業について一般（非公務員型）地方独立行政法人への移行を推進するとされていることを踏まえ、本ガイドラインにおいても『地方独立行政法人（公務員型）』は基本的には想定していない。」

　総務省が根拠としている「簡素で効率的な政府を実現するための行政改革の推進に関する法律」は、文字通り小さな政府、公共領域の縮小化、行政の企業化を狙いとした法である。そのために、公務員の削減・給与の削減も目的としている。

　　「第五一条　国家公務員の給与制度の見直し
　　　第五二条　独立行政法人等における人件費の削減
　　　第五三条　地方公務員数の職員数の純減」

　地方独立行政法人化の目的は、「簡素にして効率的な政府を実現するため」なのである。これを新自由主義行政改革推進法と定義しても、的を外してはいないだろう。新自由主義を促進するための容器（組織）が、地方独立行政法人である。

　旧養育院は、石原都政により簡素・効率的な都政のために、地方独立行政法人・東京都健康長寿医療センターに衣替えさせられた。

4　健康長寿医療センターの現状

　　健康長寿医療センターの現状は、どうなっているのかという問いを立てて、調査をすると、健康長寿医療センターと東京都のHPから、入手できる情報は少なくない。

　　また刊行されている『年報』は、第一部の概要から第四部の補助金等まで、４５６ｐのボリュームになる。

　　さらに行政評価として行っている健康長寿医療センターによる「外部評価委員会評価」、東京都による「第二期中期目標期間地方独立行政法人東京都健康長寿医療センター業務実績評価結果」（東京都地方独立行政法人評価委員会）を重ねるとその文書の量は、膨大な量となる。

　　膨大な量ではあるが、この行政評価手法では、どのように職場の改善に役に立ったのか、患者のサービス向上にどのように具体化したかについて、的確な記述があるわけではない。

　　そこで、ＨＰでアクセスできる健康長寿医療センターの現状を理解するための情報は、ＨＰ上の情報を精査して、絞ることとした。

　　結果、『平成３０年度　地方独立行政法人東京都健康長寿医療センター業務実績等報告書』（２０１８年６月）を使うこととする。

○　設立　　　　平成２１（２００９）年４月１日
○　設立目的　　高齢者のための高度専門医療及び研究を行い、都における高度者医療及び研究の拠点として、その成果及び知見を広く社会に発信する機能を発揮し、もって都内の高齢者の県港の維持及び増進に寄与することを目的とする。
○　診療規模　　５５０床　　（一般５２０床、精神３０床）
○　職員の現状　平成３１年３月３１日現在　　９５１名
　　　　　　　　（医師・歯科医師　１２５名、看護　４６８名、
　　　　　　　　医療技術　１７６名、福祉　１２名、研究員　８９名
　　　　　　　　事務　６１名）
○　組織図　　　　　　**図表2−1**
○　役員　　　定款により、理事長１名、理事３名以内、
　　　　　　　　　　　　監事２名以内
○　重点医療　　血管病医療、高齢者がん医療、認知症医療
○　連携医療機関数　７２６　　連携医数　７７８人
○　救急患者受入数　　９７８２人（２０１８年度）
○　救急車受入数　　　４２４７人（２０１８年度）
○　救急患者断り率　　　１２．２％

図表2-1　健康長寿医療センターの組織図

（平成30年3月31日現在）

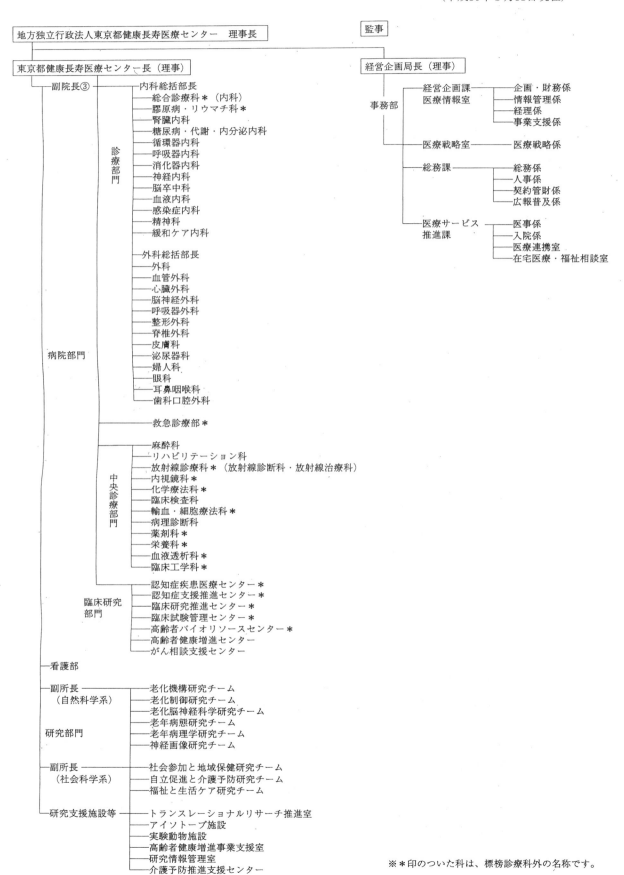

※＊印のついた科は、標榜診療科外の名称です。

【注目点】

　救急患者断り率が、算出できるのは、それをなくそうとする姿勢と受け止めることができる。しかし、１２％ということになると、１０名に一人以上は、別の病院を探している実態である。原因・要因の分析を見つけることはできなかったが、入院の入り口の時点において、まだ解決しなければならない課題があることは、事実認識として必要なことである。

　○　　地方独立行政法人の特性を生かした業務の改善・効率化

　　　＜年度計画に係る実績＞
　　　・経営戦略会議や病院運営会議、研究推進会議等において、病院運営をはじめとするセンター業務全般について迅速かつ充分な議論や審議を随時行い、平均在院日数の適正化や病床利用率の向上、外部研究員の受け入れ等の様々な検討や取組を行った。
　　　・緊急性の高い医療機器等の購入については、病院運営会議でも審査及び承認を図り、弾力的な予算執行を行った。
　　　・医療戦略室が中心となり、入退院支援の強化や地域包括ケア病棟の効率的運用など、今後の病院経営の戦略について検討を行った。

　【注目点】

　経営戦略会議・病院運営会議が、会議体としては、重要な位置を占めていることが分かる。さらに医療機器の購入は、弾力的な予算執行（予算の組み替え、予算流用）が可能であること。医療戦略室は、入退院支援（実際は主たる任務は退院調整であろう）等を行っている。
　経営戦略会議と病院運営会議で、何が話されているのか。その中味を精査する必要が、浮かび上がる。これは、情報公開資料として会議録を入手することで、地方独立行政法人化による業務の改善・効率化の実態をみることとなる。

　○　　財務内容の改善に関する事項
　　　＜年度計画＞
　　　　平成３０年度目標値
　　　　　　経常収支比率　　　９６．８％
　　　　　　医業収支比率　　　８３．３％

＜年度計画に係る実績＞
　　＊　　平成３０年度から報告

　　　　　　　　　　平成２９年度　　　平成３０年度

経常収支比率　　（記述なし）　　　９７．４
医業収支比率　　（同上）　　　　　８２．０
修正医業収支比率（同上）　　　　　６６．３
自己収支比率　　（同上）　　　　　７４．１

　　【注目点】
　この財務指標は、地方独立行政法人化されてこれまで、業務実績には記載されてこなかった。実に１０年目にして、目標設定だけではなく、実績値を記載することに、大変化している。
　これには、背景が推測される。総務省の資料として「第３章」で取り上げる「病院決算カード（略称）」において、地方独立行政法人化された病院のカードも存在して、総務省のＨＰで検索することができる。
　その「病院決算カード」においては、経常収支比率（１００以上が「黒字」）や医業収支比率（決算カードでは「営業収支比率」）や修正医業収支比率（医業収益から運営費繰入金を除く）が記載されていて、年次別推移を見ることで、健康長寿医療センターの経営・財政状況は、好転しているのか、悪化しているのかの判断ができる。
　総務省のデータを使った財政分析の結果、好転しているよりも悪化しているという結果になり、それを根拠の一つとして、都立病院を地方独立行政法人化したら、経営改善になることは証明されていないと「都立病院を充実する会」等の運動が使い始めた。
　さらに決定的だったのは、都立病院の地方独立行政法人化の方向性を打ち出した『都立病院新改革実行プラン２０１８』（２０１８年３月）では、各都立病院の経営改善指標として「自己収支比率」を掲げた。駒込病院を例示すると、経営実績として「自己収支比率・７８．３％」と出てくる。
　しかし、この「自己収支比率」は、総務省の「病院決算カード」には、存在せず、全国的に共通する経営実績データではないことが分かってきた。東京都の独自の財政概念としての「自己収支比率」であり、それを使うようになったのは、１９９３年までさかのぼる。
　「自己収支比率」の計算式は、一般会計からの繰入金等を除く式であるために、他の指標・経常収支比率・医業収支比率（営業収支比率）よりも低くなる。低くした「自己収支比率」で、都立病院の

経営改善指標と設定したのであった。

　繰り返し、事務方から「都立病院の現場看護師等には、自己収支比率が６０％・７０％だから、赤字を埋めなくてはならない、人件費削減も仕方ない」等と使われてきた。

　つまり、「自己収支比率」は、東京都による都立病院の行革促進のための、オリジナル（捏造と言ってもよい）財政指標だったのである。

　そして、そのことが２０１８年〜２０１９年にかけて、都立病院を守る運動と並行して取り組んだ研究調査において、明らかにされた。つまり、平成３０年度は、経常収支比率・医業収支比率に加えて、「自己収支比率」の妥当性が問われた東京都病院経営本部との理論闘争が行われていた。そして、都立病院の歴史的経緯を分析すると、直営の存続を求める立場からは、次のようなことが示された。

● 　都立病院の財政分析の指標として、「自己収支比率」は、使うべきではない。

　このような結論になった[2]。

　さらに「自己収支比率」は、総務省の地方独立行政法人の財政分析の指標には、存在しない。「病院決算カード」上には、「自己収支比率」は存在しない、さらには、健康長寿医療センターの決算（財務諸表）においても「自己収支比率」を見つけることはできなかった。

　そのような財政分析の指標、一つをとっても理論闘争になった時、健康長寿医療センターの「業務実績の年度実績」に初めて経常収支比率・医業収支比率と併せて、「自己収支比率」が掲載された。

　この背景は、明確である。東京都の都立病院・公社病院の地方独立行政法人化に対しての‘援護射撃の準備’である。

　東京都だけではなく、地方独立行政法人化された健康長寿医療センターの財政分析の指標においても「自己収支比率」が存在するという弁明である。

　２０１９年６月の報告書が初出というのは、あまりの偶然の一致である。東京都サイドから健康長寿医療センターへ対して、何か働きかけがあったのであろう。

---

[2] 拙論「第１章　都民の期待に近づいていく“都立病院行政改革”」『都民とともに問う　都立病院の「民営化」』（かもがわ出版、２０１８年３月）４７p〜４９p参照。

第2節　予算単年度で運営されている地方独立行政法人

1　地方独立行政法人化の狙いとして「予算単年度」が集中砲火を浴びている。

　なぜ、公立病院を地方独立行政法人化にするのか、その理由の一つとして強調されてきたのが、予算の単年度のために、柔軟な予算の運用ができない、と推進側からの主張である。

　正確な引用をしておく。例えば、東京都病院経営本部『都立病院新改革実港プラン２０１８』（２０１８年３月）では、都立病院経営委員会報告の提言として、一般地方独立行政法人が制度的に最も柔軟であり、今後の都立病院にふさわしい経営形態である、としている。

　一般地方独立行政法人の"一般"の冠がついていると何をさしているのかよく分らない。ここでいう"一般"とは、すでに総務省の「Ｑ＆Ａ」で見たように「非公務員型地方独立行政法人」のことを指している。

　一般＝公務員ではない、である。

　予算単年度を批判して、「財務面では、予算単年度主義に縛られず、また多様な契約手法が可能となるなど、事業運営の機動性や経済性をより発揮することがきできる」と地方独立行政法人になった場合の予算運用の機動性・経済性を強調している。

　１４の都立病院・公社病院を地方独立行政法人化する指針として発表した東京都病院経営本部の『新たな病院運営改革ビジョン（素案）〜大都市東京を医療で支え続けるために』（２０１９年１２月）では、予算単年度主義の課題を次のように整理している。

　「（予算単年度主義による課題）
　　　○　医療機関は、２年に１度行われる診療報酬改定に併せて的確に人員等の体制を整備し、収入の確保を図る必要があります。しかし、都立病院において、人員や予算は、予算単年度主義のもと、毎年度の自治体における定数管理や予算調整の中で定められるため、迅速な対応を行うことが困難となっています。

　　　○　新たな医療機器を整備するに当たっても、予算単年度主義のもと、毎年度自治体における予算調整の中で定められることから、前年度までに必要額を見積もり、予算要求の手続を経る必要があり、実際に整備できるまでに一定の時間がかかります。」

「（課題のまとめ）

　　⑥　予算単年度主義

　　　・地方自治法により、自治体の予算は毎年度の定数管理
　　　や予算調整の中で定められるため、高度医療機器などの
　　　購入を行うには、事前の計画に基づき、定められた時期
　　　での予算要求手続を経る必要があり、医療課題の変化や
　　　診療報酬改定に対し迅速な対応が困難」

　これに対して、都立病院の直営存続を求めている運動の「都立
病院の充実を求める連絡会」発行『都民によりそう明日の都立病
院（５つの提案）―都民によりそう都立病院検討委員会』（２０
１９年１０月１９日）では、予算単年度主義批判の反批判を行っ
ている。

『都民によりそう明日の都立病院（５つの提案）』（抜粋）

○　東京都は、予算・定数管理・兼務等の「制度的な制約」を
　取り除くために地方独立行政法人化をめざすとしています。
　その主張は、正しいのでしょうか。

> ＜東京都の説明＞
> 　契約制度や予算単年度主義の会計制度で柔軟な設定や経営改善
> に制約がある

＜私たちの考え方＞

　◇　東京都の予算制度は、単年度を原則としますが、長期的視野で複
　　数年度にわたる支出をする制度があります。

　　　都立病院の公営企業会計は、現行の予算制度を柔軟に使っ
　　ていないだけではないでしょうか。

　◇　予算単年度主義のだけで自治体財政が運営されているわけでは
　　ありません。2年・3年と複数年度に予算を継続して活用すること
　　は、どこの自治体でも行われていることです。

　　　具体的な仕組みとしては、「繰越明許費」（事業が予定より延び
　　て翌年度に延長する場合）、「債務負担行為」（契約が長期に渡り翌
　　年度以降の支出を約束する）、「長期継続契約」（電力・ガス・水道・
　　電話等の契約は長期の方が能率的とされている）等が、地方自治法
　　でも認められている仕組みです。

◇　また、予算は年度内で変化します。補正予算を組んで、当初
　予算の過不足を調整します。
　　都立病院の会計（公営企業会計）では、2017年・2018年におい
　て、一度も補正予算が使われていません。
　　小池都政は、補正予算を都合の良い使い方をして、都民の批判
　を浴びています。
　　2017年3月の臨時都議会に豊洲移転問題で中央卸売市場会計
　の補正予算を提出し可決。2019年3月、築地市場を一般会計が5
　423億円で買い取りました。都立病院と同じ公営企業会計において、
　2019年2月東京都補正予算では、「有償所管換え」という名称でし
　たが、一般会計が5423億円の金額を計上して、公営企業（市場会
　計）に繰り出しました。
　　このようにして一般会計が補正予算の手法で、築地市場の土地を
　買いました。公営企業（市場会計）には、5423億円の資金（お金）が、
　積み上がりました。知事と財務局が決断すれば、補正予算を組むこと
　は、公営企業でも可能と言うことを如実にしめしています。

◇　予算単年度主義が「経営改善の制約」というのは建前（口実）に過
　ぎず、現在の都政運営でも、柔軟に行うことは、可能です。
　　築地市場・豊洲市場のように公約違反の補正予算ではなく、都民
　生活充実のための都立病院増額の補正予算は、都民の支持を得る
　のではないでしょうか。

　すでにある複数年度の予算、「繰越明許費」「債務負担行為」「長期
継続契約」などを活用することは、地方独立行政法人化を進める東
京都では検討されていない。さらに、医療機器等の購入の時期につ
いては、実際に年間を通して都議会が開催される度に「補正予算」
が組まれているが、都立病院については補正予算が組まれた事実が
ない。
　使えるものを使わずに、予算の単年度を「悪者」にする論理の立
て方は、正統性・説得性について欠落していると言わざるを得ない。
　都立病院を守る運動側が指摘しているように、築地市場の補正と
して、5400億円余を公営企業会計につぎ込んで、市場会計は1
兆円規模の事実上の積立金へと上昇している。
　小池知事に問われているのは、予算単年度主義の問題・課題では
なくて、都民の医療体制の整備のためには、医療機器等の購入も含
めて、予算制度の活用の一つ補正予算を使うことではないか。

2　「平成３１年度の予算編成方針」にみる単年度主義

（１）予算編成方針の存在

　地方独立行政法人化を促進する理由「予算単年度主義」の焦点は、すでに地方独立行政法人になっている健康長寿医療センターは、予算単年度主義を止めて、複数年度主義へと転換しているのかどうか、これが問われることとなる。

　東京都と健康長寿医療センターのＨＰ上では、見ることができないために、情報公開制度を活用して予算関連の資料を入手した。入手した資料は、次の２つである。この２つの存在は、先行して入手した内部の会議録を通して、予算関連の文書の存在を知ることとなった。

　「平成３１年度予算編成の基本方針」
　「地方独立行政法人東京都健康長寿医療センター予算管理細則」

　この２つの中味を検討した。本研究の出発時には、想定できなかった「予算編成方針」の存在を明らかにしてことは、大きな発見であった。なぜなら、予算単年度主義の１年の予算サイクルのスタートが、「予算編成方針」の策定から始まるからである。

　結論としては、地方独立行政法人化になっても「予算単年度主義」は消滅しないことが、証明された。

　直営の場合との違いは、東京都全体の予算システムからは切り離された予算・財政活動になる。しかし、補助金（運営負担金・運営交付金等）を収益（歳入）に入れるために、健康長寿医療センター予算について都議会の承認を得る手続はないものの、東京都の予算執行から完全に独立することはできない。

（２）「平成３１年度予算編成の基本方針」の検討

　毎年「００年度予算編成の基本方針」（以下、「予算編成方針」）を出して、当該年度の予算を組み立てている。注目点を確認しておく。

　＜予算編成方針　「１　必要な予算を計上する」＞

　予算計上なくして、事業なし。これは、自治体と同じことで、予算配布されないと、行政活動は始まらない。

　＜予算編成方針　「２　診療科目別に収益を計上する」＞

　収益（歳入）は、診療科目別で行う。記述はないが、予算制度であるため、収益（歳入）総額を計上して、単年度の予算管理を行っているシステムがうかがえる。

図表2-2　基本方針

記

1．　平成31年度に予定されている事業について必要な予算を計上する

2．　診療科別の収入状況等に基づき、適正な医業収益を計上する

3．　競争的資金の採択率や受託・共同研究の件数などの実績を踏まえつつ、
　　より積極的な外部資金の獲得を見込んだ研究事業収益を計上する

4．　支出については、消費増税に伴う影響額を全て計上するとともに、
　　執行段階を含めて契約内容や期間などを見直した費用を計上する

5．　人件費については、業務の着実な遂行に必要な人員規模に基づき計上
　　する。原則として、病院部門の人件費については、対医業収益比率（運
　　営費負担金を含む）の2分の1以内を基準とし、研究・経営部門につ
　　いては、第三期中期計画における収支計画を基礎とする（アンダーライン筆者）

6．　器機購入については、耐用年数及び稼働実績のほか、医業収益に対す
　　る貢献、想定される研究成果等、導入による費用対効果を多角的に検
　　討した上で計上する

7．　建物・設備の改修については、今後予定される大規模修繕を見据えた
　　上で、その必要性や優先順位について詳細に検討した上で計上する

8．　今後のセンターを担う人材の育成やマンパワーの有効活用に向けて、
　　職員の育成や職務環境の改善に関する費用を計上する

＜予算編成方針　「3　外部資金の獲得を見込んだ研究収益」＞
研究部門は運営費交付金が、減少される予算配布のために、民間企業・自治体等の外部資金への依存率が上昇傾向にある。それは、予算編成方針にも明記されていた。

＜予算編成方針　「4　支出（歳出）は契約内容や期間などを
　　　　　　　　　　　　　見直した費用を計上」＞
予算の歳入と歳出の両面が、健康長寿医療センターの予算編成方針では、収益と費用として、明文化されていること。これらの方針を経過して、1年の予算が成立する。

＜予算編成方針の「5　人件費」＞については、後述する。

このような内容で8点の項目をたてた健康長寿医療センターの「平成31年度　予算編成の基本方針」は、原則的に単年度予算主義が、直営の場合からは変化したとしても、本質的な財政管理としての予算メカニズムは、単年度予算主義を踏襲しているといえるのではないだろうか。つまり、その1年の病院運営の大方針が、予算編成過程に反映されていくからである。

3　予算補正への強い理事長権限「予算管理細則」
では、より現実的な予算の組み方、ルールはどうするのか。
それには、予算管理のための文書による細則（自治体では条例や要綱に該当）として、「地方独立行政法人東京都健康長寿医療センター予算管理細則」で概要が分かった。
図表2-3として、全文を掲載する（34p～35p参照）。
第1章・総則、第2章・予算の編成、第3章・予算の配当等
第4章・予算の執行　第5章・予算の補正
第6章・予算執行結果の報告　第7章　雑則

この構成による予算細則があれば、1年単位の年次目標に向かって進行していく医療活動を予算制度が統制することができる。
現場は、予算の配当がなければ、業務が動かない。当初予算が不足した場合は「第6条　予算の追加配当」が用意されている。
理事長への財政権限の集中は、予算管理において顕著である。例えば、予算の流用は理事長承認で可能。500万円未満の場合は、予算責任者（現場管理職）で「軽微な補正」として補正予算が組める。別な資料では、臨時の医療機器購入のために予算の流用等の措置が行われている。それは理事長権限で行われる。予算の「選択と集中」が作用している。これを柔軟な運用と言えなくもない。

図表2-3

地方独立行政法人東京都健康長寿医療センター予算管理細則

平成21年法人細則第15号

制定　平成21年4月1日

目　次

第1章　総則

（目的）

第1条　この細則は、地方独立行政法人東京都健康長寿医療センター会計規程（平成21年法人規則第25号。以下「会計規程」という。）第3章の規定に基づき、地方独立行政法人東京都健康長寿医療センター（以下「法人」という。）における予算の編成、執行等に係る手続について定め、予算の適正かつ効率的な運用を図ることを目的とする。

第2章　予算の編成

（予算編成方針）

第2条　理事長は、会計規程第9条第1項に定める予算編成方針を策定したときは、速やかに会計規程第8条に規定する予算管理者に通知する。

（予算執行単位の予算見積書の提出）

第3条　予算管理者は、予算編成方針に基づき、その所管する予算執行単位の予算見積書を作成し、会計規程第7条に規定する予算責任者に、その指定する期日までに提出しなければならない。

（理事長の予算案の作成）

第4条　予算責任者は、前条の予算見積書をとりまとめて理事長に提出する。

2　理事長は、前項の予算見積書に基づき、会計規程第9条第1項に定める予算案を作成する。

第3章　予算の配当等

（予算執行単位への予算配当）

第5条　理事長は、会計規程第9条第2項の規定により予算を決定したときは、速やかに各予算執行単位に予算の配当を行い、当該事業年度開始前までに、その内容を予算管理者に通知しなければならない。

2　理事長は、追加の予算措置に備えるため、予算の一部を留保することができる。

（予算の追加配当）

第6条　理事長は、追加の予算措置が必要と認めるときは、予算の範囲内で、予算執行単位に予算の配当を行うことができる。

2　理事長は、前項の予算の配当を決定した場合には、予算管理者に対して速やかに通知する。

3　理事長は、あらかじめ予算において指定した場合、前2項の予算の配当を予算責任者に行わせることができる。

第4章　予算の執行

（執行計画）

第7条　予算管理者は、第5条の規定による通知を受けたときは、所定の執行計画を定め、予算責任者に提出する。

2　予算責任者は、前項の執行計画をとりまとめ、理事長に提出する。

（執行委任）

第8条　予算管理者は、配当された予算のうち、他の予算執行単位において執行する必要があるものについては、予算責任者の承認を得て、他の予算執行単位に執行を委任することができる。

（予算の流用）

第9条　予算管理者は、予算執行単位に配当された予算の総額の範囲内において、別に定める予算科目（以下「予算科目」という。）を超えて執行する必要が生じたときは、理事長に他の予算科目からの流用の承認を求めることとする。

2　理事長は、前項の流用が適当と認められる場合、承認する旨を当該予算管理者に通知するとともに、これに基づき予算科目の振替を行う。ただし、500万円未満の流用については、予算責任者に承認等を行わせることができる。

第5章　予算の補正

（軽微な補正）

第10条　会計規程第12条に定める軽微な補正とは、予算の総額の変更が500万円未満のものとする。

2　前項の規定は、給与費に係る補正には適用しない。

第6章　予算執行結果の報告

（予算執行単位における執行報告）

第11条　会計規程第13条第1項の報告のため、予算管理者は、所管の予算執行単位における予算の執行結果を、予算責任者に、その指定する期日までに報告しなければならない。

第7章　雑則

（委任）

第12条　この細則の施行に関し必要な事項は、予算管理者が別に定める。

附　則（平成21年法人細則第15号）

1　この細則は、平成21年4月1日から施行する。

4　人件費抑制の予算メカニズム

　地方独立行政法人になると、運営負担金の削減と人件費抑制と患者負担への転嫁が、同時に発生することは、本研究会でも確認できたことである。看護師の給与・労働条件の悪化傾向は、組合の職場アンケートでも当局の職員アンケートでも共通していた。

　民間企業の経営改革は、職員のリストラや非正規化・パート等による人件費削減が、柱の一つである。そのために、日本型企業社会の進行は、非正規雇用２１８９万人（総務省・労働力調査２０１９年１１月）ともいわれる惨状になった。そのため、ワーキングプア層も増えてきた。

　健康長寿医療センターによる管理運営では、人件費削減が行われてきた。その出発点は、毎年度の「予算編成方針」にある。該当箇所を抜き出す。

　　「５　人件費については、業務の着実な遂行に必要な人員規模に
　　　　基づき計上する。原則として、病院部門の人件費については、
　　　　対医業収益比率（運営費負担金を含む）の２分の１以内を基
　　　　準とし、研究・経営部門については、第三期中期計画におけ
　　　　る収支計画を基礎とする」

　人件費抑制になる焦点の問題は、「対医業収益比率の２分の１以内」という予算上の縛りが、存在していることである。

　「収益（歳入）に対して、人件費比率を５０％以下にすること」が、予算編成方針の大方針なのであった。

　実際、平成３０年決算における人件費の対医業収益比率は、

給与費／医業収益＝７８４７／１３３４７＝５８．８％

　東京都からの「運営費負担金と運営費交付金」等を入れた営業収益で人件費比率を出すと

給与費／営業収益＝７８４７／１８１０２＝４３．３％

となる。

　限定的に「対医業収益比率の２分の１以内」ルールを予算執行過程で貫徹していけば、現時点では「対医業収益比率＝５８．８％」と５０％に対して約９％超過していることとなる。人件費の予算管理目標を超えているために、さらなる人件費の削減が、予算編成方針では掲げているのであった。

その具体的なしわ寄せは、最大の職員集団である看護師の給与の削減や給与体系の後退へと結びつかざるを得ないのである。

　すでに明らかになったことであるが（第6章参照のこと）、健康長寿医療センターの場合の看護師の給与は、入職時・初任給は病院よりも高い、しかし多年度の業務に対して賃金カーブは都職員看護師と比べると、低い伸びで、給料は頭打ちになる。子育て・教育費、介護費を抱えるベテラン看護師の生活には、ゆとりがなくなる。そうした賃金体系になっている。

　それを、毎年予算の編成方針で謳って、実行に移してきた。

　単年度予算主義としての予算編成方針は、職員にとっては人件費抑制のメカニズムとして作用していた。そのキーワードは、「人件費の対医業収益比率　1／2以下」である。

　平成30（2018）年決算では、58．8％とまだ、1／2以下になっていないために、人件費抑制のメカニズムとしての「予算編成方針」は、作用し続けることになる。

第3節　情報公開の活用による地方独立行政法人実態の解明

1　地方独立行政法人は、情報公開の対象

　情報公開制度が、どのように市民運動中で活かされているのか、定着した行政学的評価は、まだない。１９８０年代制度創設当初は、情報公開制度によって、行政の機密性・秘密主義に対して、市民が行政文書を獲得して、市民による行政分析が進み、問題点を掴み、行政改革の市民運動の発展が想定されていた。現実は、頻繁に活用されているわけではない。

　日本で最初に情報公開制度をつくったのは、１９８２年山形県金山町。それから自治体の情報公開制度は、増大していく。

　先行した自治体に遅れて国の情報公開法の制定は、１９９５年（２００１年４月施行）である。２０１０年段階で、総務省の資料によると１７９７団体のうち、１７９４団体が、情報公開条例を制定している[3]。ほとんどの自治体には、情報公開制度が条例によって制度化されているといえる。

　東京都も情報公開制度がある。最初は、「公文書の開示等の条例」として、１９８４年に制定された。条例名称も変わり、新たに「東京都情報公開条例」に改訂されたのは、１９９９年。

　その理念は、「都民の理解と批判の下に公正で透明な行政を推進し、都民への都政の参加を進める」（第一条）ためである。

　都民が都政の監視役として、行政を批判することで、公正・透明な都政改革ができるという文脈で情報公開制度はできている。原則、都の行政が保有している情報は、公開されなければならない。

　２０００年代になり、東京都政も含めて、地方独立行政法人・指定管理者制度・ＰＦＩ事業などの新しい民間委託・民間活用が盛んになった。教育施設の指定管理者制度は、急速度に進んでいった。

　こうした民間委託された病院施設や社会教育施設（受託法人）等に対して、情報公開制度が適用されるのかどうか、市民運動においても行政研究においても充分な検討研究は取り組まれてこなかった。

　そのために社会の一般的な理解は、民間委託されてしまった後の施設の運営・財政はよく分からず、公共性はグレーである、情報公開制度が使えるとは思えないという程度の解釈だったのではないだろうか。

　実はそうではなかった。地方独立行政法人化された健康長寿医療センターの保有情報で、ＨＰでアクセスできない内部情報（例えば、会議録）は、情報公開制度により公開された。小さな発見である。

---

[3] 土岐寛編著『行政と地方自治の現在』（北樹出版、２０１５年）７１～７３ｐ参照

2 「東京都情報公開条例（第38条）」が、適用される

東京都の場合、地方独立行政法人化された法人に対して、東京都情報公開条例が適用される。

健康長寿医療センターに対して情報公開で入手した資料から、明確になった。入手した資料は、「地方独立行政法人東京都健康長寿医療センターが行う情報公開事務に関する要綱」（2010・平成22年10月1日）。

この情報公開の要綱の第1条は次のように規定している。

「（趣旨）
第1条　この要綱は、東京都情報公開条例第38条の規定により、地方独立行政法人東京都健康長寿医療センターが行う情報公開に関する事務について必要な事項を定めるものとする。」

地方独立行政法人化された法人の情報公開の根拠は、東京都情報公開条例の「第38条」とされる。東京都情報公開条例第38条は、次の条文である。

「（公の施設の指定管理者の情報公開）
第38条　都の公の施設を管理する指定管理者は、この条例の趣旨にのっとり、当該公の施設の管理に関する情報の公開を行うために必要な措置を講ずるよう努めるものとする。」

地方独立行政法人の情報公開の根拠は、指定管理者の情報公開条文の運用で規定されていた。健康長寿医療センターに対する情報公開の手続の過程を順序よく行うと、目的に設定した情報が公開される。

すべてが公開されるわけではない。情報公開で「非開示」になった場合、不服を申し出る仕組みが情報公開制度にはある。そうした納得がいかない市民は、「東京都情報公開審査会」に申し出ればよい。地方独立行政法人の場合は、どうか。東京都情報公開条例では、

「（都が設立した地方独立行政法人行政法人に対する審査請求）
第21条　都が設立した地方独立行政法人がした開示決定等若しくは開示拒否又は当該地方独立行政法人に対する開示請求に係る不作為について不服がある者は、当該地方独立行政法人に対し、審査請求をすることができる。」

と明文化されている。今回は活用していないが、指定管理者分析には情報公開が使えることを知っておくことも大切なことである。

3　情報公開制度の利用方法と窓口

（1）2つの窓口

　本研究調査に関わる行政情報は、健康長寿医療センターとそれを設立した東京都が関係する。

　窓口は、健康長寿医療センターの場合は、当該病院施設内（板橋区大山駅数分）にある「経営企画局事務部総務課総務係」が担当している。

　東京都の窓口は、西新宿にある都庁舎になる。第1庁舎3階の都民情報ルームは、都政に関する資料の閲覧・貸出等を行っている。それだけではなく情報公開の窓口も兼ねている。そこから、担当部署に連絡がいき、福祉であれば福祉の情報公開担当者、道路であれば道路の情報公開担当者が、3階に下りてくる。そこで、情報公開の手続が始まる。

　健康長寿医療センターの行政分析として2つの窓口を活用した。

　地方独立行政法人の分析の時には、当該の病院法人だけではなく、認可した自治体（今回は東京都）の情報も必要になるということは、これから地方独立行政法人の分析を行う場合には、共有されてよいことである。

（2）情報公開による入手情報一覧

　では、どのような資料を2つの窓口を活用して、入手したのだろうか。

　今回は、非開示にはならなかったために、情報公開制度で必要な行政情報を入手できた。

　○　東京都のケース

（担当課）東京都　福祉保健局　高齢社会対策部　施設支援課

（公文書の件名）　　総務省「『地方独立行政法人決算状況調査』における平成27年度及び平成28年度地方独立行政法人決算状況調査表データ（60～71表）」

（開示の方法）　　　電磁的記録を複写した光ディスクの交付による

【注目点】　公立病院でも地方独立行政法人でも、国基準の決算処理を行う。決算処理を行う元データの入手が目的である。

　これにより、公立病院の場合は、一般会計からの繰入金の明細が分かる。この明細データにより、「４００億円赤字説」を止めさせる根拠の数字を算出することができた。

　地方独立行政法人の決算データは、総務省のＨＰで「病院決算カード（略称）」として、２０１３（平成２５）年から見ることができる。それ以前は、ＨＰにアップする必要がないとされていた。２０１３年前後からＨＰに掲載されるのは、地方独立行政法人へと経営形態の変更になる公立病院が増大したことが、背景にあると推測される。

　この「決算カード」からは、経常収支比率・営業収支比率などを簡単にみることができる。しかし、焦点になっている一般会計からの繰入金の明細、健康長寿医療センターの場合は、「運営費負担金と運営費交付金」の区分と明細は、「決算カード」から読み取ることはできない。

　そのために、国基準による決算処理の元データを入手して分析できることとなる。その元データが「調査表データ（６０～７１表）」である。

○　健康長寿医療センターのケース
　　３回、情報公開の手続を行った。
　　第１回　２０１９年３月２９日
　　第２回　２０１９年６月１８日
　　第３回　２０１９年１２月２４日

（事務担当部署）　経営企画局　事務部　総務課　総務係

（公文書の件名）【文書の請求名の一覧】

　　第１回　・地方独立行政法人東京都健康長寿医療センター
　　　　　　「運営協議会　平成３０年度議事録」すべて
　　　　　　・地方独立行政法人東京都健康長寿医療センター
　　　　　「経営戦略会議　平成３０年度に開催された議事録」
　　　　　　すべて
　　　　　　・地方独立行政法人東京都健康長寿医療センター
　　　　　　「病院運営会議　平成３０年度　議事録」すべて

　　第２回　・平成３０年度　第８回経営戦略会議で使用した
　　　　　　「平成３１年度予算編成の基本方針」

「平成３１年度当初予算の要求概要」

第３回　　・平成３０年度　第二回職員アンケート結果概要
　　　　　　について
　　　　　・職員アンケート実施結果及び対応について
　　　　　・有料個室、多床室の使用状況（３０年度）

（開示の方法）　　第１回、第３回は、写しの交付（光ディスク）
　　　　　　　　　第２回は写しの交付（白黒刷り　２枚）
　　　　　　　　　　　　　　　　　　　（多色刷り　２枚）

（開示に係る手数料）　　２つとも、東京都情報公開条例に基づ
　　　　　　　　　　　　くために、同額。
　　　　　　　　　　　　光ディスク　　　１枚１００円
　　　　　　　　　　　　白黒　　　　　　１枚１０円
　　　　　　　　　　　　多色　　　　　　１枚２０円

【注目点】健康長寿医療センターの実態把握、地方独立行政法人
化の特性の解明を進めることができた。
　　第１回は、健康長寿医療センターの「年報」の組織図と全体
的な概要を参考にして、運営の軸となっているだろう会議体（推
定による仮説的分析対象）を選択した。
　　「運営協議会」「経営戦略会議」「病院運営会議」の３つを対
象にして、その会議録から管理の実態に迫ることとした。
　　第２回は、第１回で公開された議事録を精査して、予算単年
度主義問題に焦点を絞り、第８回の経営戦略会議に出てきた「予
算」関連の資料の公開を求めた。
　　第３回は、労働組合活動として取り組んだ職員アンケートか
ら、浮かび上がる職場要望が、給与を上げること・職員数不足
等が出てきた。健康長寿医療センターとしても、職員アンケー
トを実施いている。２つの職員アンケートを比較することで、
共通性・異質性の分析を行う（第６章参照）。
　　いわゆる差額ベッド代は、１年間でどのようになっているの
か、金額別・月別の統計資料で検証することを目的とした。
　　ＨＰ以外の入手情報により、健康長寿医療センターの管理運
営の実態や職員の不満等の知見を得ることができた。行財政分
析として、有効な情報であった。

【情報公開の活用で、注意したいこと、すべきこと】

　東京都であれ、健康長寿医療センターであれ、窓口の担当者との会話が大切である。正確な文書名が、事前に分かる場合は少ない。予想をした文書名を記述してみても、言葉にしてみても、それが存在するかどうか、情報公開の担当者がすぐに分かるわけではない。

　行政文書の場合、正式な文書名でなければ、公開手続に入ることが困難である。そのためにかつての東京都の公文書公開条例の時には、アクセスすることが困難であり、入手する入り口で立ち往生ということが頻発していた。

　現在は、行政の公正・透明の公開原則が、自治体職員・地方独立行政法人職員の中に浸透してきて、行政改革としては、大きな意識改革が進行中である。

　目的を鮮明にして情報公開の担当者と会話をしていく中で、文書名が明らかになったことが、今回の場合でもあった。

　そうすると情報公開の窓口の担当者は、情報を持っている担当部署と内部で調整しやすくなる。

　流行の表現を使うと、情報を入手したい人と提供をする行政との「協働」作業が、現在の情報公開の実際である。

図表2－4

第2号様式（第3条関係）

30福保高施第1563号
平成30年11月21日

開 示 決 定 通 知 書

安達　智則　様

東 京 都 知 事
小 池 百 合 子

　　平成30年11月7日付けの開示請求について、東京都情報公開条例第11条第1項の
規定により、次のとおり公文書の全部を開示することを決定したので通知します。

1　公文書の件名	総務省「地方独立行政法人決算状況調査」における平成27年度及び平成28年度地方独立行政法人決算状況調査表データ（60～71表）	
2　公文書の開示をする日時及び場所	日　時	別途調整の上、決定する。
	場　所	別途調整の上、決定する。
3　開示の方法	電磁的記録を複写した光ディスクの交付による。	
4　事務担当課	福祉保健局　高齢社会対策部　施設支援課　電話03－5320－4563　　内線33－683	
5　備　考		

注1　この通知書を持参の上、指定の日時においでください。
　　　なお、上記の日時に来られない場合は、事前にその旨を電話等で事務担当課まで連絡してください。
　2　この決定に不服がある場合には、この決定があったことを知った日の翌日から起算して3月以内
　　に、東京都知事に対して審査請求をすることができます（なお、この決定があったことを知った日
　　の翌日から起算して3月以内であっても、この決定の日の翌日から起算して1年を経過すると審査
　　請求をすることができなくなります。）。
　3　この決定については、この決定があったことを知った日の翌日から起算して6月以内に、東京都
　　を被告として（訴訟において東京都を代表する者は東京都知事となります。）、処分の取消しの訴
　　えを提起することができます（なお、この決定があったことを知った日の翌日から起算して6月以
　　内であっても、この決定の日の翌日から起算して1年を経過すると処分の取消しの訴えを提起する
　　ことができなくなります。）。ただし、上記2の審査請求をした場合には、当該審査請求に対する
　　裁決があったことを知った日の翌日から起算して6月以内に、処分の取消しの訴えを提起すること
　　ができます。（なお、当該審査請求に対する裁決があったことを知った日の翌日から起算して6月
　　以内であっても、当該裁決の日の翌日から起算して1年を経過すると処分の取消しの訴えを提起す
　　ることができなくなります。）

（日本工業規格A列4番）

3　公開文書会議録から見た健康長寿医療センターの現状と課題

　健康長寿医療センターを日常的に運営している会議体として、「運営協議会」「経営戦略会議」「病院運営会議」の３つの議事録を情報公開で入手した。

　（１）　運営協議会は、医療・行政関係者による「定期点検」
　「運営協議会」に参加するメンバーは、健康長寿医療センターの理事長・センター長のトップ以外の外部の参加により、健康長寿医療センターの課題等について、有識者・医療関係者の意見を聴取する内容になっていた。
　健康長寿医療センター以外の参加者として、豊島医師会・会長、板橋医師会・会長、練馬区医師会・会長、東京都福祉保健局高齢社会対策部・部長、板橋区保健所・所長、患者代表も一人メンバーである。
　ここでは、「第二期中期目標期間業務実績」などを中心に意見が交換されている。いわば、医療・行政関係者による、健康長寿医療センターの「定期点検」と例えることができる。第１０回は、２０１８年１０月２３日に開催された。その第１０回の「運営協議会」において、外部委員から指摘されたことを、一つだけ取り上げる。
　それは、患者満足度が低下していることの指摘である。
　それに対して、健康長寿医療センター側の答弁は

　「患者満足度については、確かに２９年にもともと８３％あったのが、７７．８％に下がっております。
　　患者さんの個々のクレームをみなすと、診療の待ち時間、予約どおりの時間にいかない、時には一時間待たせるとかですね。それに対するクレームが一番多くなっています。」

　８０％を切る、患者満足度という数字は、他の満足度調査では、９０％（患者の遠慮等もあり高く高く出る傾向）は普通である。７０％台と言うことは、深刻に受け止めなければならない水準であり、解決すべき課題（患者の不満の蓄積）があると言うことを意味している。
　この「運営協議会」の意義は、内部だけではなく、行政・医療関係者の意見を聴取することにある。指摘されたことが、どのように解決されていくのかは、通常の会議体に委ねられる。

（２）　「病院運営会議」と「経営戦略会議」の実像

　会議体の名称だけからは、病院管理の内実を判断することは、難しい。特に２０００年代のＮＰＭ行革手法の一つとして始まった地方独立行政法人の統治構造については、不明な領域が多く存在している。

　ＮＰＭ行革とは、ニューパブリックマネジメントの頭を集めてＮＰＭと呼ぶ。２０００年代の「官から民へ」「民でできることは官は行わない」という小泉政権による、行政の民営化、小さな政府を目指す手法のことを言う。具体的な手法としては、指定管理者制度、ＰＦＩ手法、地方独立行政法人化が代表的なものである。

　これは、民間経営・市場原理を行政に持ち込むことになり新自由主義行政改革という性格付けをすることができる。

　国の小泉政権と東京都の石原都政は、車の両輪のように、同時期に「官から民へ」の新自由主義行政改革が、馬車馬のごとく進められた。

　比較的新しい新自由主義改革の手法としての地方独立行政法人の実証分析の研究と調査報告は、少ない。そのために、内部の統治構造の共通理解が、研究者の間や行政関係者の間で形成されているとは言えない。

　今回は「病院運営会議」と「経営戦略会議」で行われている議論に注目した。これも一事例でしかないが、小池知事が１４の都立・公社病院を地方独立行政法人化すると２０１９年１２月に議会の所信表明で宣言された後の状況の下で、地方独立行政法人になって１０年の健康長寿医療センターの実態は、知事が目的としている、都民ファーストの経営改革が行われているのか、判断する材料の提要にはなる。

　○　病院運営会議の回数・参加メンバー・主な議題
　「病院運営会議」は、２０１８年度、第１回・４月９日からはじまり、第１８回は２０１９年２月２６日に行われている（予定では、第１９回・３月１１日）の開催も記載されていた。月に２回〜１回のペースで会議が行われている。

　この会議には、病院の理事長以下、内科・外科の部長、看護部長、リハ・放射線、薬剤、栄養科、臨床工学、病理診断、等の専門家と事務局で構成されている。

　２０１８年度の「病院運営会議」は、前年度と変化している。会議の簡素化・集約化として、従来の「病院運営会議」「経営改善委員会」等を統合した会議体に位置づけが変化した。

　日常的な管理事項と経営改善事項が、加わった議題になっている

ため、健康長寿医療センターの業務管理・病院の問題の基本的な「実態把握」をすることができる。

日常的な議題が検討されるので、ここで決定される事項が病院の運営となっていく。

第１回の決定事項から　（２０１８年４月９日）
・病床再編（案）について、５月７日より運用開始
・消化器のパス入院は、入院１日より８階病棟とする。
・病床再編について、７月１日を目途に再調整を行う。

（この間は割愛する）

第１８回の決定事項から　（２０１９年３月１１日）
・議事録では、報告事項と審議事項と２つに議題が分割
・審議事項　（耳鼻咽喉科、内視鏡ビデオシステム）
　事務局　「緊急購入予算の残高は４６０万余円になる」
・【結論】　購入することは承認するが、以下２点については
　　　　　　確認事項
　①　２台セット価格を減価交渉すること
　②　接続方法について検討すること

【注目点】
第１回では、病床再編が決定。第１８回では、余っている予算の執行について検討。３月の年度末の予算の未消化金額を事務局が報告している。

年度内予算消化は、自治体予算制度の悪い慣習である。３月になると、道路工事が増えた、部局の予算消化のために物品を購入して、予算をゼロにする、ことは「予算単年度主義」の悪癖。それが、健康長寿医療センターに存在していた。

○　経営戦略会議の回数・参加メンバー・主な議題
「経営戦略会議」に参加するメンバーは、「病院運営会議」よりも絞られたメンバーで構成されている。理事長・センター長・副院長、看護部長その他８名、合計１２名の会議体である。それに事務局が１０名が出席している。

「病院運営会議」は、理事長・センター長・副院長、看護部長その他１４名、合計１８名の会議体である。「病院運営会議」の事務局は、８名。

「経営戦略会議」は、経営財務状況等を検討するために、事務局

の参加は、「病院運営会議」よりも多くなるのであろう。
　「病院運営会議」の開催は、月曜日　午後　約１時間前後
　「経営戦略会議」の開催は、木曜日　午後　約１時間前後

　２０１８（平成３０）年度の公開された議事録によると、第１回が開催されたのは、４月１９日。月１回のペースで開催されて、第９回は２０１９（平成３１）年１月１７日に会議が開かれている。どのような議題が検討されているのだろうか。議題が多かった第３回・６月２１日で検討されたことを例示しておく。
　　　第３回の議題から　　（議事録の順番ではなく、順不同）
　　１報　　平成２９年度職員アンケート結果について
　　２報　　経営実績（４月度）について
　　３理　　第１回理事会次第
　　４理　　平成２９年度業務実績報告書（案）について
　　５理　　平成２９年度財務諸表等（案）について
　　６理　　第二期中期目標期間・業務実績報告書（案）
　　　　　　について
　　７理　　平成３１年度予算の見積り（案）について
　　８理　　組織規定の一部改正について
　　９理　　職員給与規定の一部改正について

【注目点】２つの会議体を比べると、「病院運営会議」が、病床再編や予算の修正決議の検討に対して、「経営戦略会議」は、経営の戦略を中心にして、病院のあり方を検討しているというのではなく、例えると病院の「管理運営会議」（事実上は役員委員会）となっている。
　そのために報告事項として「職員アンケートの結果」や「経営実績」が報告されて、１ヶ月で進行したことを参加者が情報共有している。
　また、理事会案件には、健康長寿医療センターにとり、重要な議題が検討されていた。
　前年度の「業務実績評価結果」「財務諸表」から、「職員給与規定（改定）」などである。ここで注目すべき議題は、６月段階で次年度になる「平成３１年度予算の見積り（案）」が提出されていること。
　昨年の実績がそろうと、次年度の予算編成に入るという、自治体の予算過程と同型である。
　別の表現をすれば、「病院運営会議」が上位の会議体で、緊急な機器購入等、意思決定機関。「経営戦略会議」は、下位の会議体で、年間のサイクルで地方独立行政法人として行うべき、計画・財務・予算などについて、点検をして、管理している日常の管理機関。

（３）　会議録から浮かび上がる健康長寿医療センターが、
　　　　直面している諸課題

　情報公開で入手した会議録の量は、少なくない。その中から、健康長寿医療センターがシビアに直面している課題・問題と患者の声に対する対応について、以下、５つのことを取り上げる。

　この会議録からの５つを抜粋した視点は、地方独立行政法人化された組織の管理運営とは何か、という問いの証拠の役割を持つ。

　５つとも議事録の「再録（再掲）」を紹介する。

　会議録のために入手した情報は「会話調」になっていることも了解をしていただきたい。会議録には、個人が特定できる名前も公開されているが、ここでは個人の名前は取り上げることは必要がない。趣旨と合致しないために省略して、職名・肩書き、は残すことにした。それは病院経営の権限のあり様を知るためである。

　５つの小見出しは、筆者が読者に分かりやすくするためにつけたものである。

　第１　組合のチラシに触発され、看護職の低い給与問題、本音！

　第２　人件費抑制の目標

　第３　電話の対応が悪い

　第４　窓口支払・診察までの待ち時間が長い

　第５　病院で犬は散歩してよいか。患者の疑問への対応

＜第１　組合のビラに触発され、看護職低い給与問題、本音！＞
　　　【第8回　経営戦略会議　2018年11月16日】

（副院長）
　　「また、最近、センターの職員組合が作成したと思われるビラが新聞に入っていた（96・97p参照）。特にコメディカルの給与が都職員と比較して低く、そこから看護師さん等に対してアンケートの協力を求める者であった。全体的に独法化を反対するようなニュアンスの内容であった。」

（センター長）
　　「給与等に対する満足度は看護職が極端に低い。
　　都職との格差を感じるのか」

（看護部長）

　「若い看護師が増えているので、そこまで格差は無いと思われる。都の給与体系だと役職関係なくずっと右肩上がりに給与が上がっていく。センターや民間だとある程度年数が経つと頭打ちになるし、主任に上がれば、また給与も上がるが、その辺りに格差を感じているのかもしれない。

　どこを中心に低いと感じているのか分からないが、この近辺だと、日大あたりは給与が高い、と聞いている。その様な情報を得て、センターの給与に不満を感じているのかもしれない。

　加えて、看護師の若返りが進んでおり、出産ラッシュを迎えている。常に産休に入る人が１０名程度おり、次々に産休に入っていく。

　（一部略）

　もう一点、２年ほど前に看護部にて実施したアンケート調査ではセンターでは、夜勤手当として、５００００円が支給されることになっているが、回数ごとに増える訳ではなく、５回やっても、１０回やっても一律とされているところに不満を感じている職員が多く、そのような意見も反映されていると思われる。」

＜第２　人件費抑制の目標＞
　【第２回　経営戦略会議　　２０１８年５月１７日】

（理事長）

　「地方独法が黒字化するためには、人件費を民間病院並みの比率（４０％台）にする必要がある。ただし、長期的には医療行政部分は、１０億から１５億の支払を受けながら実施していくことになろうかと思う。」

【注目点】　人件費抑制の目安が示されている。実際の人件費抑制のメカニズムは、予算編成方針に明文化されていることがあった。「対医業収益比率　　５０％」を予算編成方針化していた。平成３０年決算人件費の対医業収益比率は、

　　　給与費／医業収益＝５８．８％

これだと５０％を超えている。しかし、営業収益で人件費比率を出すと、給与費／営業収益＝４３．３％。すでに４

０％台に縮減したから、看護師の給与の不満が噴出していると理解する方が、素直な経営指標の解釈である。まだ、減らす意向を理事長が語っていた。

さらに「医療行政部分」（東京都からの運営費負担金・交付金を指す）は、１０億から１５億と示唆されている。組合のビラでも明らかにしたが、２０１３年は９６億円。２０１６年は、４８億円。それを将来的には、今よりも３０億円以上の削減される、削減を認める予定と解釈できる。

これでは、医療現場と患者負担の改善ではなく、労働強化・受益者負担が増えることに直結してしまうだろう。

地方独立行政法人化された場合の、経営思想、というのは、こうしたことに端的に語られていた。

（副院長）
「特別運営費交付金の８億円は目に見える形で享受したのか、会計上の処理の話なのか。」

（経営企画課長）
「繰越し欠損金に帳消しに充てたということである」

【注目点】　運営費交付金は、運営費負担金と違い、使い残した場合、または追加で交付された場合等、欠損金（お金が不足している）に入れて、不足額を減らす会計処理ができる。

運営交付金は、何にでも使うことができる性質があるために自治体の一般会計に例えると、一般財源の性格を持つ、一方、運営費負担金は、特定財源の性格を持ち、減らすこともできず、決められた医療費（高度医療・救急医療等）に使わなければならない。

＜第３　電話の対応が遅い、悪い＞
【第５回　経営戦略会議　２０１８年９月２０日】

（事務局）
「電話の受療率の向上については、医事係にて検討していただいているが、ソラスト（委託会社のこと）のマネージャーさんが体調不漁による不在で対応できていない。

外来ＷＧの中で、予約のルールが医師によって複雑すぎるという意見がでているため、ルールの簡素化を進めている。ある程度、ルールが簡素化されれば、対応できるスタッフも増え、受療率の向上が期待できる。」

＜第４　永久のクレームなのか。待ち時間が長い＞
【第６回　病院運営会議　２０１８年６月２２日】

（センター長）
　「外来の待ち時間が長いこと、駐車場料金に対する苦情がリンクしているように見受けられる。外来の待ち時間に過ごしていただく工夫を、来年にかけて取り組んでいただきたい。少しでも待ち時間が緩和するようにお願いする。」

（理事長）
　「会計に長時間待たされるのはなぜか。」

（医療サービス推進課長）
　「ソラストに確認したところ、昼休憩のタイミングで人員が少なくなる時間帯がある、と聞いている。

（理事長）
　「自動清算機が足りないということではないのか。」

（医療サービス推進課長）
　「そういうことではない。」
　　（一部略）

（理事長）
　「人員が不足しているところを増員するか、自動清算機を増やすかしなければ、永久にクレームが起きる」

＜第５　病院で犬は散歩してよいか。患者の疑問への対応＞
【第１４回　病院運営会議　２０１８年１１月２６日】

（セキュリティマネージャー）
　「投書件数は１６件、内訳では苦情要望が１３件、感謝が３件であった。いくつか抜粋して説明するが、
　　　　・病院敷地内での犬の散歩は感染リスク等を考慮すると禁止にした方がいいのではないか？
　　　という意見に対しては、センターの設立時のコンセプトでは、地域に開かれた散策路として設けていること、（犬の）散歩が感染リスクになることは極めて低いことから参考にするとの回答を準備している。」
　　（一部略）

（センター長）
　　「犬の敷地内立入禁止だが、貴重な意見として今後の参考とする。だと該当者に対する回答が不十分なので、犬からの感染リスクが低いこと、開かれた地域という環境コンセプトになっている、ことを伝えた方がいいのではないか。また申し出があって、同回答でと更なるクレームに繋がる。」

（セキュリティマネージャー）
　　「検討する。」

【注目点】　「患者さまの声」として、病院運営会議では、それぞれのクレームについて対応策を議論していることが分かる。

　　ここで例示とした「犬の散歩」は、これも病院運営会議の議題なのかという、疑念がないわけではない。

　　しかし医療集団・経営陣トップの時間を使って、「患者さまの声」に誠実にむきあっていることは、よく伝わってくる。

　　公立・公的病院、民間病院、問わず「患者の声」「患者のクレーム」に対応することは、普通になってきている。

　　健康長寿医療センターのように「患者さまの声」として受け止めることもあるだろう。

　　しかし、これで「患者の声」への対応のシステムが完結しているわけではない。苦情処理の対応が、会議待ちでは遅すぎる。

　　特に病院の場合、患者が一番言いたいことは、医師への不満と疑問である。病名の理解一つとっても、患者には難しいことが多い。

　　がん、は知っていても、どこまで現代の医学、より具体的には健康長寿医療センターの医療技術が到達しているのか、は医師による診察だけの説明では、不足しているかもしれない。

　　そうした患者からの疑問に迅速に対応する『医療オンブズパーソン』とそのコーナーを病院内に設置して、苦情が「病院経営会議」まで待たずに、解決できる病院改革プランもありえるのではないか。

第4節　市民参加が欠落する地方独立行政法人
——行政評価の変質、パブリックコメントの欠落

1　行政評価は、医療の質を向上させ、住民自治を育てているか

（1）２０００年代自治体に行政評価システムが導入

　現代の自治体は、２０００年代から、行政評価を使って、悪いこと不十分なこと、改善すべきことが明らかになった場合、行政改革・行政改善に繋げていく取組が広がってきた。この行政評価手法は、全国一律方式ではない。行政評価シートの項目の違いがあり、どこを点検するのかは、それぞれの自治体の特性・固有性となっている。

　２０００年代は、民間活力導入による行政の民営化が急速に進んだために、直営時代と違い、民間事業者が提供する行政代替サービスは、顧客—サービス提供者（主には企業）関係になっていく。

　民間企業が提供している行政代替サービスが、公共性・公平性・透明性を守り、利用者の要望に的確に対応しているのかについては、行政による民間事業者のチェック、評価が必要とされるようになってきた。

　行政評価それ自体が、拡大した大きな要素は、新自由主義による行政の民営化・市場化のために、行政責任として、公共性・公平性を担保しているのかについて、提供サービスを恒常的に点検する必然性がでてきたからである。

　そのため、子育ての保育・学童、高齢者のケアサービスは、東京都の場合、第３者機関による外部評価が、補助金付きで行われている。

　行政内部の行政評価は、人事考課の際の「人事評価」や「事業別評価」に取り組んでいる自治体が、多数になった。

　では、地方独立行政法人ではどのように行政評価は位置付いているだろうか。そして、それは、有効に働いているのだろうか。

（2）地方独立行政法人化・東京都健康長寿医療センターの
　　　「行政評価」の取組
　２つの行政評価が取り組まれている。

　第１の行政評価の主体は、東京都である。地方独立行政法人・健康長寿医療センターを認可した東京都による行政評価の取組である。これは、地方独立行政法人法（第１１条）で設置が義務付けされている。

　「第１１条　設立団体に、地方独立行政法人に関する事務を処理
　　　　　　　させるため、当該設立団体の長の附属機関として、

地方独立行政法人評価委員会を置く。」

　これに基づいて、東京都地方独立行政法人評価委員会が設置されている。

　東京都による健康長寿医療センターの行政評価は、東京都の「総務局行政改革推進部のホームページ」で検索することができる。そして、業務実績評価書として、毎年度の取組の評価、そして「中期目標期間」の評価を行っている。

　評価委員会には、専門の分科会が設けられていて、健康長寿医療センターの場合は、「高齢者医療・研究分科会」によって、行政評価が行われる。この「高齢者医療・研究分科会」の所管は、総務局ではなくて「福祉保健局高齢社会対策部　施設支援課　法人支援係」である。

　第2の行政評価は、独立行政法人としての行政評価の取組である。健康長寿医療センターとして行政評価が取り組まれている。

　健康長寿医療センターの場合は、研究機能としての「医療センター研究所」を「外部評価」の仕組みで行政評価を行っている。

　健康長寿医療センターが設置した「外部評価委員会」の評価委員会が、報告書を公表している。

　その報告書を見ると「外部評価委員会評価報告書（<u>第三期</u>中期計画期間・<u>事前評価</u>）」（２０１８年９月）、そしてそれ以前には「同名（<u>第二期</u>中期計画期間・<u>最終評価</u>）」（２０１８年３月）を見ることができる。

　問題は、こうした2つのルートによる行政評価が、有効に使われているのかどうか。誰が読んでいるのか。どこを次年度に改革したのか。

　こうした問いを立てた時、評価報告書から、有効な情報を得ることは無いと断言してもよい。

　独立行政法人・地方独立行政法人の行政研究に取り組むと、評価報告書を読むこと自体に多くの時間を取られ、そのあとの有効さの行政学的検証をしようとするときに、有効な資料を見つけることができない。「結果証明なしの行政評価」が、日本では横行していることである。

　（３）イギリスによる行政評価は、日本に輸入されて変質した

　そもそも新しい行政活動の一つして、行政評価は海外（主にはイギリス・アメリカ）から紹介されて、導入が取り組まれた。

　２０００年前後、当初の行政評価の日本への紹介は、現在の行政評価とは、そのシステムが違う。

　図表２−５は、どちらかといえば、学際的より、シンクタンクによ

るノウハウ本といえる島田晴雄・三菱総合研究所政策研究部著『行政評価』（東洋経済新報社、１９９９年）が作成した、行政評価システムである。

　本書『行政評価』は、自治体が行政評価を行うための指南書を目指していた。その指南書は、住民視点からの整理、行政視点と住民視点の統合などがあり、行政内部の調査方法ではなかったのである。

図表2−5　行政活動のサイクルと新しい行政評価システム

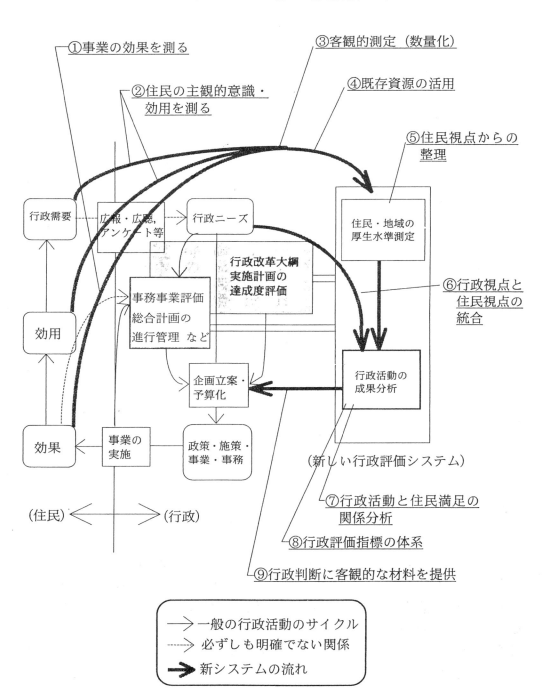

行政の官僚制度の悪癖、内部で隠したり、改ざんしたりすることを改革するためには、住民参加による評価、住民視点の整理、そして、行政視点と住民視点の統合をして『行政活動の成果分析』を行う。

　その上で、はじめて「行政活動と住民満足の関係分析」ができるというシステム設計になっていた。

　ところが、イギリスから輸入されたあと、日本の国家官僚とより先鋭的な新自由主義行政改革を進めるシンクタンクにより、住民参加、住民視点を取り入れるという行政評価のプロセスが、消えた。

　住民参加、住民視点が消えた後の日本の行政評価手法は、市民による市民のための行政改革ではなく、行政内部と地方独立行政法人内部による「閉ざされた行政評価」へと変質されてしまった。

　そのために、膨大な分量の行政評価を行っても、それが設置された外部委員（当局が選出した委員でしかない）による評価も、住民生活視点を軸にされたものではない。

　そのために、今回の健康長寿医療センターの行政評価の文書を研究しても、これらの評価項目が、その後どのように活かされて、医療及び高齢者研究に反映されたのか、また経営のための会議に議案として検討されたのか、議事録の範囲では、効果を検出することはできなかった。

　こうした行政評価の実態については、行政学・自治体研究でも共通認識になりつつある。

　　　「地方政府の場合、顧客に直接的に公共サービスを提供するという性格が強いことから、コスト意識や顧客満足度が強調され、数値目標を設定し予算編成と連動させる動きが強い」
　【出所】曽我謙悟『行政学』（有斐閣アルマ、２０１４年、４２４ｐ）

　　　「事業仕分けや行政事業レビューをいうかたちでの外部（筆者・民主党政権の時）からの問責は、一定の評価がなされている。
　　　　しかし、短時間での審査や結論の明確性、資料・情報の不足する中での成果、さらには予算の縮減に重きが置かれていることには課題があり、政策評価との役割分担と連携の模索の必要性が指摘されている」
　【出所】土岐寛編著『行政と地方自治の現在』
　　　　　　　　　　（北樹出版、２０１５年、７９～８０ｐ）

　国会議員が行った「事業仕分け」も行政評価の変種である。自治体も議員も予算（縮減）と連結させているために、市民自治による行政改革の手段としての「行政評価」は、日本では定着していない。

2　パブリックコメント制度を欠落させた地方独立行政法人

（1）「透明性」を確保する行政手続の必要性

　三権分立という近代民主主義の中で、行政権力が超出していることが、通常のことになってきている。立法府の議会は、議員による法案提出は、極めて少ない。ほとんどが、行政からである。それは、国も自治体も同じである。司法の独立性は、自衛隊の違憲訴訟の判断のように、行政（行政不介入）として、事実上行政優位の判決が、続いてきた。

　その超出してきた行政権力に対して、市民による民主的統制を強化することは、長年、民主的行政改革の課題であった。

　行政文書の管理と情報公開、そして意思決定過程のトップダウンからボトムアップ型への改革、行政手続・執行過程の市民への透明性・公正性の確立などが、民主的行政改革の課題として、重要な課題として、行政学や民主的自治体改革論では、追求されてきた。

　そうした市民のための行政改革の中で、透明性を確保するための行政手続法が、成立したのが、１９９３年。法律の中で、初めて「透明性」という言葉が法律に明文化された。

（2）行政手続法の制定まで、長い道のりだった

　この「行政手続法」の誕生までに長い時間が必要だった。それを簡略史にすると、次のようになる。

＜透明と公正の行政手続法制度化の推移　（約３０年の前史）＞
・１９６４年　第１次臨調答申の「行政手続法草案」として構想

・１９８３年　第２臨調最終答申における行政手続法へ向けて
　　　　　　　専門審議機関の設置勧告
　　・同年１１月　行管庁内の学者グループ第１次「行政手続研
　　　　　　　究会」による'第１次要綱案'
・１９８９年１０月　総務庁内の第２次「行政手続法研究会」によ
　　　　　　　る'第２次要綱案'
・１９９１年１１月　第３次行革審の「公正・透明な行政手続部会」
　　　　　　　による要綱案
　　　　同年１２月　行革審の「公正・透明な行政手続法制の整備
　　　　　　　に関する答申」の法律要綱案
・１９９３年５月２１日　閣議決定
　　　　　　６月１８日　衆議院解散で廃案
・１９９３年９月２４日　閣議決定（細川内閣）
　　　　　　１０月２６日・衆議院通過　１１月５日・参議院通過

この行政手続法の中に、行政計画に対して意見を述べる手続を入れること、いわゆる「パブリックコメント（略称・パブコメ）」制度がもりこまれていく。つまり、パブコメが発足した経過は、その導入の検討から、約３０年の長い時間を要して制度化されたのである。

　１９９０年代に「パブコメ」には、大きな期待が集まった。

　市民から、直接、行政担当者に意見を述べることができて、その回答が行われる。行政官僚が、計画や政策をパブコメで修正してくれるのではないか、という期待である。

　現実は、市民の期待とは遠いパブコメとなっている。

　市民からの意見「パブコメ」制度の発足から始まり、広がり、定着していった。同時に、市民運動の中で、パブコメをしても、行政は市民からの意見に対して回答はするが、何も変化が生まれないというある種の失望感もひろがってきていること、これがパブコメをめぐる状況と言えよう。

　それには原因がある。特に東京都の場合は、最悪だった。

（３）パブリックコメント制度は、全国最下位の東京都
　　地方独立行政法人には、パブコメが存在しない由々しき事態

　自治体は、国の「行政手続法」制定後、「行政手続条例」を制定して、新しい行政文化の定着に取り組んできた。「行政手続条例」は、自治体１００％制定されたとする行政学テキストもあるように、行政内に着地することができた。

　問題は、自治体によって、「行政手続条例」の中味が違うことである。

　東京都は、「東京都行政手続条例」（１９９４年）を制定。が、この東京都の条例には「意見公募手続」（パブコメ）の規定がない。つまり東京都は、パブコメについて、制度化を軽視した経緯がある。「東京都行政手続条例」にパブコメの規定がなくても、東京都は、パブコメを、主要な計画（長期計画や道路計画等）について行ってきた。

　しかし、法的規定を持たない東京都のパブコメは、国の法的基準を充たすことなく、低水準（全国都道府県の中で最低水準）で推移してきた。

　実際、総務省の調査「地方行政サービス改革の取組状況等に関する調査・平成３０年３月２８日」）において、「行政手続条例の制定」は、都道府県４７（１００％）。市町村含めた制定率は、９２．５％だった。

　問題のパブコメについては、総務省調査の「意見公募手続制度の制定状況」（パブリックコメントのこと）によると、都道府県は４６が制定済み、１つが「予定なし」と区分されていた。

この「予定なし」の都道府県が、東京都であった[4]。

東京都のパブコメ制度は、全国の都道府県で最下位であり、調査時点（2017年10月1日）では「パブコメ制度」を策定する予定もなかった。

そのために、国の基準以下のパブコメが、東京都では横行していた。2つだけを取り上げる。

第1は、パブコメの公募期間のルールが不存在だったために、2週間、3週間、1ヵ月の意見公募期間とバラバラだったこと。

第2は、都の職員は、パブコメに参加していてはいけない、という暗黙のルールが病院職場で通説化されていたこと。

国の法律では、次のように規定している。

「行政手続法・第三十九条　3
　　意見提出期間は、同項の公示の日から起算して三十日以上でなければならない」

例外規定として、この三十日の意見募集期間が保証されない特別な場合、

「（意見公募手続の特例）　第四十条
　　三十日以上の意見提出期間を定めることができないやむを得ない理由があるときは、前条第三項の規定にかかわらず、三十日を下回る意見提出期間を定めることができる。
　　この場合においては、当該命令等の案の公示の際その理由を明らかにしなければならない」

東京都のパブコメ制度は、行政手続法の「第三十九条の3」「第四十条」のどちらも明文化されたルールが、存在していなかった。

すでに小池都政が誕生して2年余たって、2018年2月、東京都病院経営本部は、都立病院の地方独立行政法人化を含んだ『都立病院改革実行プラン2018（仮称）素案』への意見募集（パブリックコメント）を公募した。

＜2018年2月26日　病院経営本部＞
『都立病院新改革実行プラン2018（仮称）素案』の策定
　　及びご意見の募集について」

---

[4] 総務省自治行政局行政経営支援室に、2018年9月18日、問い合わせた。パブコメ（意見公募手続制度）について、策定予定なしは、東京都であることを確認した。総務省の調査時点は、2017年10月1日。

募集期間　平成３０日２月２６日〜３月１６日（金曜日）まで

　１８日間の募集期間。これは、国の３０日を充たしていない。
　また、都立松沢病院では、「都職員はパブコメに参加できません」
と管理部から言われたという情報が届いた。都立病院で働いている
からこそ、様々な意見を持つことは当然のことであり、そうした現
場の意見をパブコメ制度で国の法律では禁止していない。
　この２つの東京都のパブコメ制度の全国最低の低水準は、行政の
透明性を高くすることにはならない。
　こうした東京都の行政改革の取組の姿勢もあり、地方独立行政法
人化された後、重要な計画文書である、東京都が作成する「中期目
標」、それを受けて健康長寿医療センターが作成する「中期計画」の
２つの法人の基軸となる目標と計画は、パブコメの手続きをふんだ
ことがない。
　東京都のパブコメの低水準のために、地方独立行政法人化になる
と、基軸となる目標・計画をパブコメの対象にしないという、およ
そ行政手続法で制定された公正性と透明性を確保するという趣旨か
ら、遠く離れている。
　地方独立行政法人化されると、パブコメの対象から外されて、市
民の声、職員の声を参照にして、改革していくという取組は、存在
しないという事実を直視すべきである。
　なお、２０１８年度は、東京都のパブコメについて大きな変化も
あった。
　２０１８年３月「意見陳述に関する要綱」が制定された。これは、
都立病院の直営を守る運動から、東京都のたいして、パブコメは法
律違反であるから、地方独立行政法人化を計画した答申文書を「廃
棄」して、再提出すべきであるという論争が起きて、東京都に対し
て、全国最下位のパブコメ制度の改善を求めてきた。その成果のあ
らわれである。その要綱のタイトルと該当箇所を示す。

　　　「計画等の策定に係る意見公募手続に関する要綱」
　　　　　　　　　　　　　　　　　　平成３０年３月２０日決定

（意見の募集期間）
　　　「第８　意見の募集期間は、原則として、計画等の案の公表の
　　　　　　　日から起算して３０日以上とする」

　という３０日以上規定が、２０１８年３月２０日の要綱ではじめ
て、明文化された。しかし、急ごしらえの「意見公募（パブコメ）
の要綱」であるために、都議会の審議を経ていない。都民にも変更

されたことの周知は不十分であった。

　行政行為としての、要綱行政は、議会の議決を必要としない。要綱行政は、所管課でいつでも変更できる。要綱行政どおりに執行されているかどうかは、所管課自らの管理になる、ということが通説である。

　そのために、市民に開かれたパブコメにするためには、要綱段階で留まっていては不十分である。

　先行事例といえる川崎市は、パブリックコメント制度を条例化している。「パブリックコメント手続条例」（２０１０年）を策定している。議会の議論を踏まえ、市民にも周知する努力を川崎市は行っている。

　「都職員はパブコメができない」という意図的な思想統制に対しても、病院経営本部と労働組合との交渉において、当局が見解を修正して、公的に「都職員もパブコメができる」と大きな改革を実現した。

　そして、地方独立行政法人に係る基軸となる行政文書のパブコメ対象外という取扱いの現状をできるだけ、早急に改革することは、地方独立行政法人化の持っている内的矛盾の解消になる。

　内的矛盾とは、情報公開は東京都情報公開条例に準じて行う、がパブコメについては取組が行われていない、という矛盾である。前者も後者も、行政の民主的改革についての、市民参加の制度であることが共通事項である。

３　地方自治を構成する団体自治と住民自治の２つとも消えていく地方独立行政法人

　（１）　行政学テキストによるグレーな「地方独立行政法人」

　行政学者・真渕勝は、行政の周辺の公法人の存在に注目をした行政学テキストを書いている。

　政府が省庁の周辺に設立してきた特殊法人や認可法人は、官僚の天下りの受け皿になったり、時に不正の談合組織になったり、と政府及びその影響力のある公法人（私法人ではない）の全体像を掴むのは、今では至難のことの一つになっている。

　２０００年代、地方独立行政法人・指定管理者・ＰＦＩなどの新たらしい民営のための組織、そして後期高齢者医療制度のように都道府県と市区町村の中間に成立している広域連合、小さな政府を目指しながら、実際は、国・自治体のどちらも周辺に、多くの公法人を生み出した。

　そうした背景を受けて、『行政学』（真渕勝）では、そのような中

間的領域の組織を「グレーゾーン組織」と名付けて、テキストで取り上げている[5]。

　真渕によるとグレーゾーン組織とは、「厳密には行政機関ではないが、行政機関と密接な関係をもち、行政機関の業務を代行したり、補助したりしている組織がある。これらがグレーゾーン組織である」と定義されている。

　そのグレーゾーン組織は、「公的グレーゾーン組織」と「私的グレーゾーン組織」、それに「新しいグレーゾーン組織」の３区分を行っている。

　「公的グレーゾーン組織」は、郵便局株式会社のような特殊法人等、「私的グレーゾーン組織」は政府に圧力をかける業界団体等、そして「新しい公的グレーン組織」として独立行政法人、「新しい私的グレーゾーン組織」をＮＰＯという類型的区分を行っている。

　この類型化の妥当性をここでは問うのではなく、地方独立行政法人化された「健康長寿医療センター」は、公的公共的側面と私的営利性の側面の２つが、重なっているという法人の認識が、行政学では示されているという知見を得ることができたということである。

　そしてこの公的と私的の間は、明確な線引きが無く、地方自治では絶対的に必要な団体自治と住民自治が存在していなくても、行政組織上、問題視されない。

　地方独立行政法人は、自治から「グレー」になってしまうということが、自治問題としては、地方自治固有にある自治権の侵害として問題視しなければならないことになる。

（２）　団体自治の形骸化、住民自治の後退

　かつて養育院の時は、都議会の理事の席に院長が座って、議員との議論に公式に参加をしていた。養育院は、出先機関ではなく、一つの単独の局扱いだったからだ。局扱いは、議員と対面して、質問があれば、答える義務を持つ組織的存在である。

　養育院が地方独立行政法人化されると、議会の場から、院長の姿は消えた。本会議・厚生委員会等における議員の質問は、福祉保健局の対応になった。

　すでに予算の修正権、少人数理事会に見られるように地方独立行政法人化された理事長への権力集中は、明確だった。地方独立行政法人への知事の権限も「中期目標」を遵守させる権限を持ち、直接的な指導監督ができる。

　分かりやすく言い換えると、地方独立行政法人化すれば、２人の

---

[5] 「第６章　行政ネットワーク」「６－４　新しいグレーゾーン」、真渕勝『行政学』（有斐閣、２０１５年）所収。

権力者で、どのようにでも運営することができるということになる。
　知事と理事長の２人である。
　地方自治の団体自治のコアになるのは、国家からの介入の自由、企業資本からの介入の自由でなければならない。そして、地方自治の２元制に基づく、議会の民主的参加とチェック機能が、不可欠の要因となる。
　国が制定した地方独立行政法人法に遵守した運営を行うために、地方分権改革で実現されたとされる「都道府県の自治事務（独自に判断できる範囲の拡張）」は、地方独立行政法人に適用されることにはならない。
　また議会の地方独立行政法人への議決する関与は、法人の設立・解散、中期目標等に限定される。
　議会に付与されていることで、後退していること。団体自治の侵害と言える事項を特筆しておく。

　　＊　健康長寿医療センターの「予算編成方針」は、都議会の議決
　　　　ではない。都民の税金の使い方は、理事長の裁量になる。
　　＊　健康長寿医療センターの行政評価も含めた評価内容の審議は、
　　　　都議会で行われることは、例外的であり、パブコメ制度が適
　　　　用されていないために、患者・利用者の生の声は、議会に反
　　　　映されにくい。

　地方自治の自治権を構成する「住民自治」の後退も顕著である。陳情・請願という直接民主主義の対象機関という位置づけはない。また、情報公開制度はあるが、パブコメ制度はなく行政手続はグレーであった。
　確かに、利用者の声を聞くこととして、「患者さまの声」を聞く仕組みはある。これは、苦情対応と感想文の範囲の対策である。
　住民自治の場合は、基本中の基本は、中期計画への意見による参加、より発展している自治体は、会議公開をして、その場で住民の意見を述べることができる会議体を立ち上げる。
　地方独立行政法人には、計画段階や予算編成段階で、地域住民や患者さんや現場職員に参加させる仕組みもなければ、そのような自治改革構想もない。
〈地方独立行政法人化になると、地方自治が消える。〉
　地方自治の団体自治と住民自治は保障されないということが、地方独立行政法人の実態であり、日本国憲法の第９２条「地方自治の本旨（地方自治法上の自治）」からも遠い存在になってしまう。
　これが行政分析の結論として、本質的な問題である。

第5節　住民参加の改革・患者主権の拡充を求めて

　健康長寿医療センターの行政分析による考察の本章のまとめとして、これからの改革課題と具体的な取組の構想を例示しておこう。

　1　患者主権の確立
　　（1）医療オンブズパーソンの常設
　　　　（すばやく患者家族の苦情の相談にのること。必要と
　　　　　認めた場合、直接担当医師等に、改善の勧告ができる）

　　（2）患者権利章典の見直しを行うこと
　　　　（10年経過した章典を今日的な国際的人権保障の発展、
　　　　　及び不足している自治権保障を掲げた章典へと見直し
　　　　　に着手する。例えば、個人情報のプライバシーを守る
　　　　　規定から、自己情報コントロール権として外部にカル
　　　　　テ情報を提供するかどうかは本人家族の承認を必要と
　　　　　する。多様性の患者の権利保障として、男女のトイレ、
　　　　　多床室のあり方等の検討を行う）

　2　住民自治の回復
　　（1）住民参加の回復として、東京都作成の「中期目標」と
　　　　　健康長寿医療センター作成の「中期計画」について、行
　　　　　政手続法の適用と位置づけて、パブリックコメント制度
　　　　　の対象とする。意見公墓と同時に地域住民、入院患者家
　　　　　族などに説明会を開催する。
　　　　　　もって、医療活動の透明性公正性の確保を促進する。

　　（2）健康長寿医療センターの独自の住民参加として、理事
　　　　　長の下に「健康長寿医療センターの地域住民協議会（仮
　　　　　称）」を設置して、自由な意見交換ができるようにする。

　　（3）パブリックコメント制度の導入、地域住民協議会の新
　　　　　設等、現行の地方独立行政法人でも可能な住民自治を創
　　　　　るために、東京都に「パブリックコメント条例」の制定
　　　　　を健康長寿医療センターから求め、健康長寿医療センタ
　　　　　ーは、内部規定文書を作成して、「患者権利章典」と同じ
　　　　　ように、公表すること。

3　団体自治の回復
　　（１）東京都は、最低限の行政手続法に遵守した「条例改正」を行い、パブリックコメント制度、苦情処理、及び計画等への再質問権の創設について、現行の要綱から「条例制定」を目指すこと。
　　　　健康長寿医療センターは、東京都の中の組織として、平等な立場で意見が言える「東京都・健康長寿医療センター・高齢医療福祉委員会（仮称）」の設置を求める。

　　（２）議会のチェック機能の強化。地方独立行政法人は、知事と理事長の２人の統治システムであるために、民主的統制が行使できない。当面、議会主導により条例を制定して、「地方独立行政法人・指定管理者・ＰＦＩ制度検討委員会」を設置する。その委員会に対して、東京都所管から、「地方独立行政法人年次白書」を提出させる。それを議会の委員会の議論の共通の素材にする。

4　予算編成への職員参加
　　（１）予算の編成方針について策定以前に、医師・看護師等の意見を述べる会議を常設する。そこでは、予算要望を延べることができるようにする。

　　（２）現行の「予算管理細則」を修正して、予算の流用・補正について、理事長中心から、現場の意見を反映できる条文を新しく入れること。年度途中で必要な予算修正権の発議を現場に与える。

5　直営に戻す検討が必要
　　（１）問題を抱えすぎた地方独立行政法人・健康長寿医療センターは、元の「養育院」に戻すことを東京都と健康長寿医療センターの両者、それに都議会・区議会、住民を入れて検討する「検討委員会」（仮称）の設置を東京都に求める。

　　（２）名称を元に戻すことを検討する。渋沢栄一が、紙幣に登場することとなった。渋沢栄一達の先人の努力の証しは、建物の名称にも刻まれている。「養育院」への名称の復帰が、時代の潮流に合致していると考えられる。

【参考資料・文献】

○ 東京都健康長寿医療センター『平成30年度　地方独立行政法人
東京都健康長寿医療センター業務実績報告書』(2019年6月)

○ 東京都健康長寿医療センター『地方独立行政法人東京都健康長
寿医療センター年報　平成29年度』(2018年9月)

○ 東京都健康長寿医療センター『2017　診療科のご案内』

○ 「第10回地方独立行政法人東京都健康長寿医療センター
運営協議会　議事録」(2018年10月23日)

○ 「病院運営会議・議事要旨平成30年度(第1回～第18回)」(2018年)

○ 「経営戦略会議・議事要旨平成30年度(第1回～第9回)」(2018年)

○ 「平成31年度予算編成の基本方針」

○「地方独立行政法人東京都健康長寿医療センター予算管理細則」

○ 「地方独立行政法人東京都健康長寿医療センターが行う情報公
開事務に関する要綱」(2010年10月1日)

○「平成31年度・地方独立行政法人東京都健康長寿医療センター
年度計画」
「平成30年度・地方独立行政法人東京都健康長寿医療センター
年度計画」

○ 「地方独立行政法人東京都健康長寿医療センター　中期目標
(第三期)」

○ 「地方独立行政法人東京都健康長寿医療センター　中期計画
(第三期)

○ 「地方独立行政法人東京都健康長寿医療センター
第二期中期目標業務実績評価結果(案)＜概要＞について」

○ 「「外部評価委員会評価報告書(第二期中期計画期間・最終評価)」
(2018年3月)

○ 「外部評価委員会評価報告書(第三期中期計画期間・事前評価)」
(2018年9月)

○ 竹内健太　『国立大学運営費交付金の行方—「評価に基づく配分」をめぐっ
て—』(法と調査、2019年6月、No.413、
参議院常任委員会調査室・特別調査室)

○ 島田晴雄・三菱総合研究所　『行政評価』(東洋経済新報社・1999年)

○ 真渕　勝　『行政学』(有斐閣、2015年)

○ 土岐　寛編著　『行政と地方自治の現在』(北樹出版、2015年)

○ 曽我謙悟著　『行政学』(有斐閣アルマ、2014年)

○ 伊藤正次・出雲明子・手塚洋輔　『はじめての行政学』
(有斐閣ストゥディア、2016年)

○ 養育院支部72年史編纂委員会
『東京都養育院　145年の歴史抹殺に抗して』(2018年2月23日)

第3章　健康長寿医療センターの財政分析

第1節　地方独立行政法人で経営は好転したのか。

　2009年に都立直営から地方独立行政法人（以下、地方独法）へと運営形態が移行した健康長寿医療センターの財政はどのように変わったのであろうか。

　地方独立行政法人になると、経営形態の変更のメリットとして、病院財政が好転して、都財政からの負担（日常的な感覚では補助金のこと）が減少することなどがあげられていた。経営形態だけの変更で、すぐに財政が好転するわけはなく、歳入（収益）が増えるか、歳出（費用）が減るか、そのどちらも実現できるのか、この3つの道しかない。

　本研究会を始めて、改めて気がついたことは、10年経過した健康長寿医療センターの財政結果について、どこにも明確な結果分析が行われていないことだった。

　さらに、独立行政法人および地方独立行政法人化された他の病院や大学について「運営交付金（国・自治体からの交付金）が減少する」という狙いは共通事項になっていたが、では実際にどのように「運営交付金」が減らされたのか、その実証研究を見つけることができなかった。

　そこで、自治体直営から地方独立行政法人にする目的とされてきた「財政改善・財政健全化」について、自治体研究としては初めてとなる地方独立行政法人の「決算データ」等を駆使した財政分析をすることにした。

　その狙いは、大きく括ると3つになる。

　　第1　10年経過して、財政状況は好転したのか。
　　　　　それとも悪化したのか。
　　第2　8の都立病院、6の公社病院を小池知事は、地方独立行政法人化にすると2019年12月3日に都議会で宣言した。予算単年度に縛られない柔軟な運営がメリットとされている。
　　　　　　先行した健康長寿医療センターの財政構造、歳入（収益）と歳出（費用）の会計・財政構造は、どのように推移したのか、事実を検証すること。
　　第3　直営から地方独立行政法人になると、財政のどこが一番の変化をもたらし、政府・東京都の狙いはどこにあるのか、を解明すること。

先に結論を述べておこう。

第1の財政好転は、なかった。

第2の収益と費用では、収益の注目点は「運営費負担金」と「運営費交付金」に、東京都一般会計からの繰入金が変化すること。費用では、総額は伸びているが、特に研究職の職員給与費は抑制されていること。

第3の財政の変化は、東京都一般会計からの繰入金（都立病院の場合）から、「運営費負担金と運営費交付金」に変更されたことである。

　　運営費負担金は、「特定財源」。必要とされている医療活動への「義務的負担」と言える。そのために、減額させることは、難しい。

　　そのために分割されたもう一つの「運営費交付金」は、「一般財源」であり、使うことを減額することができる。減額した「運営費交付金」は、病院の企業決算上の「赤字」補填に充当することもできる。また、臨時の新病院の建設費のために増額することもできる。

　　したがって、地方独立行政法人化の財政変化としての「運営費交付金」については、減少させられることと併せて、臨時の増額もあること、この2面性が分析の視点とされなければならない。

　　なお、運営費負担金＝特定財源、運営費交付金＝一般財源という定義は、この論文で初めて使用する解釈上の定義である。

　本章では主に地方独法化 10 年の財政データを元にその分析を行った。
　資料編には、分析に関わる基礎的な財政資料を掲載しておいたので、適宜参照されたい。
　なお、蛇足ながら自治体や公立病院、地方独立行政法人の「赤字」「黒字」については、家計のやりくりや企業の損益のための「赤字・黒字」は、厳密には存在しない。病院の歳入には、公的保険からの歳入（収益）がある。公的保険には、税も入っている。
　単純な「赤字・黒字」は不正確な表現であるが、本章でも「赤字・黒字」という形容を使うことがあるが、それは比喩的な意味であり、厳密には「赤字・黒字」は存在しないことを付記しておく。

第 2 節　使用した資料・データについて

　本論に入る前に、使用した資料とその入手経緯について簡単に紹介しておこう。

　○　「病院決算カード」の活用
　まず全国の公立病院財政を見る上で基本となる資料だが、これについては総務省がまとめている「病院事業決算状況」「病院経営分析比較表」というものがある。
　特別な通称はまだないために、私たちは「病院決算カード」と呼ぶようにしてきた。同カードからは当該年度の病院の基本的な収支状況等を把握することができる。
　全ての公立直営病院と 2013 年度（平成 25 年度）からは地方独法病院のものが入手できる[1]。
　したがって本章では、2013 年度から現在公開されている 2017 年度の 5 か年分を資料として活用した。

　○　「財務諸表」「決算報告書」の活用
　次に健康長寿医療センターが公開している「財務諸表」「決算報告書」である[2]。両資料については地方独法化後以降（2009 年度以降）の全て年度にわたって公開されている。
　さらに総務省がまとめている「地方公営企業決算調査」を活用した。本資料は「地方公営企業年鑑」や「病院決算カード」の基礎となる資料で、総務省のＨＰで公開されているものの、データのみであり、少し理解がある人でないと活用するのは難しい。

　○　情報公開で「運営費負担金・運営費交付金」内訳表を入手
　したがって、健康長寿医療センターに対して情報公開請求を行い[3]、2015 年度、2016 年度の資料を入手し、活用することとした。なぜ地方公営企業決算調査の資料が必要かというと、東京都からの繰入金の内訳を知ることができるからである[4]。地方独法病院の

---

[1] 総務省、病院事業決算状況・病院経営分析比較表のＨＰ
（https://www.soumu.go.jp/main_sosiki/c-zaisei/hospital/kessan-bunseki/index.html）を参照（2019 年 12 月 30 日、最終閲覧）。
[2] 東京都健康長寿医療センターＨＰ
（https://www.tmghig.jp/outline/activity/financial-info/）を参照（2019 年 12 月 30 日、最終閲覧）。
[3] 地方独立行政法人に対する情報公開請求については第 6 章を参照。
[4] 繰入金については安達智則・太田正・川上哲著『都民とともに問う、都立病院の「民営化」　ねらわれる地方独立行政法人化』（かもがわ出版、2019 年）を参照。

場合、繰入金ではなく運営費交付金・運営費負担金という名称に変わっているが、東京都からの「補助金」という点では同じである。

　本章で使用した基本的な資料は以上の3つである。この3つの資料を活用しながら、以下、健康長寿医療センターの財政の特徴について検討していくこととする。

第3節　病院決算カードから何が分かるか
　　　―基本的な用語と財政指標について

　まず財政分析に必要な基本的な用語や財政指標について説明しておく。

　図表 3−1 は、病院決算カードに掲げられている項目について、公立直営病院と地方独法病院の項目を比較したものである。

　ほとんど同じであるが、地方独法病院の場合、「医業収益」が「営業収益」とされていたり「医業費用」が「営業費用」となっていたりするなど、多少の用語変更がある。

　また公立直営病院には該当するものの、地方独法病院には該当しない項目もある。

　この点を踏まえた上で、病院決算カードから分かることを以下、挙げてみよう。

　○　総収益は、総収入のこと

　まず「総収益」だが、これは当該年度の病院の総収入を示すものである。

　図式的に書けば「総収益」＝「営業収益」＋「営業外収益」＋「臨時収益」となる。「営業収益」は基本的に「入院収益」と「外来収益」によって占められ、そのほとんどが診療報酬による収入である。

　ただし後で触れる「運営費負担金」や差額ベッド代、診断書発行料なども含まれており、「営業収益」が必ずしも診療報酬収入とイコールではないことに注意が必要である。

　○　営業費用は、経費のこと

　次に「営業費用」であるが、これについては具体的な項目が列挙されている通り、職員の人件費や材料費など病院運営に使われている費用のことである。

　自治体の場合は、歳出という。費用は、経費のことである。健康長寿医療センターを運営するための必要経費ということもできよう。

図表 3-1　病院決算カードの項目比較

直営病院	地方独法病院
総収益	総収益
1　医業収益	1　営業収益
（1）入院収益	（1）入院収益
（2）外来収益	（2）外来収益
診療収入計	診療収入計
（3）その他医業収益	（3）運営費負担金等収益
（うち他会計負担）	（4）その他医業収益
2　医業外収益	2　営業外収益
（うち国・都道府県補助金）	（うち運営費負担金等）
（うち他会計補助・負担金）	（うち補助金等収益）
（うち長期前受金戻入）	**該当なし**
（うち資本費繰入収益）	
3　特別利益	3　臨時利益
（うち他会計繰入金）	（うち運営費負担金等）
総費用	総費用
1　医業費用	1　営業費用
（1）職員給与費	（1）職員給与費
（2）材料費	（2）材料費
（うち薬品費）	（うち薬品費）
（うち薬品費以外の医療材料費）	（うち薬品費以外の医療材料費）
（3）減価償却費	（3）減価償却費
（4）経費	（4）経費
（うち委託料）	（うち委託料）
（5）研究研修費	（5）研究研修費
（6）資産減耗費	（6）資産減耗費
2　医業外費用	2　営業外費用
（うち支払利息）	（うち支払利息）
3　特別損失	3　臨時損失

直営病院		地方独法病院	
損益	経　常　損　益	損益	経　常　損　益
	純　　損　　益		純　　損　　益
累　積　欠　損　金		**該当なし**	
経　常　収　支　比　率		経　常　収　支　比　率	
医　業　収　支　比　率		営　業　収　支　比　率	
他会計繰入金対経常収支比率		運営費負担金等対経常収益比率	
他会計繰入金対医業収支率		運営費負担金等対営業収益率	
他会計繰入金対総収益比率		運営費負担金等対総収益比率	
実質収益対経常費用比率		実質収益対経常費用比率	

○　財政指標には「自己収支比率」はない

　次に財政指標についてであるが、まずは経常収支比率についてみてみる。

　「経常」というのは毎年決まって発生する収益や費用のことを指しており、経常収支比率もそれに着目した指標である。

　　経常収支比率（％）＝（経常収益（営業収益＋営業外収益））/（経常費用（営業費用＋営業外費用））×100

　「経常収支比率」とは、＜経常収益の中で経常費用がどれくらいの割合＞を占めているかを表している。

　つまり、経常収支比率が100％を超えれば特別損失等がない限り、病院全体の収支が「黒字」（良い状態）であることを示す。逆に100％を下回れば、特別収益等がない限り、収支が赤字（悪化の状態）であることを示すことになる。

　次に「営業収支比率」であるが、下記の計算式によって表される。

　　営業収支比率（％）＝医業収益/医業費用×100

　「営業収支比率」は、診療報酬等をコアにした財政指標のことである。「経常収支比率」は総経費の指標であるが、「営業収支比率」は、「営業外収益と営業外費用の部分を除いて算出」される指標ということになる。直営の病院の財政指標は、「医業収支比率」と呼ばれているものと同じである。

　そして「運営費負担金等　対　経常収支比率」、「運営費負担金等　対　営業収益率」、「運営費負担金等　対　総収益比率」についての見方を示す。

　「運営費負担金等」というのは、東京都からの「補助金」にあたる「運営費負担金」と「運営費交付金」のことを指す。公立直営病院の場合の「他会計繰入金」に相当する科目である。

　「運営費負担金並びに運営費交付金」については後ほど節をあらためて検討するが、一言だけ述べておくと、これらの「補助金」は健康長寿医療センターの赤字補填（赤字は厳密には存在しない）が目的で支出されているわけではないということである。

　必要な医療活動につかっていることは、地域宣伝チラシにも明確に示した。400億円の赤字説は、いまだにマスコミ等で使われているが、難病や高度医療等に使うという明確な目標がある。

　この点は公立直営病院の場合も同様であり、公立病院会計を理解する上で重要なポイントである。

74

第 4 節　健康長寿医療センターの財政状況の推移

（1）決算カードデータの分析

　では実際、健康長寿医療センターの財政はどのように推移してきたのであろうか。決算カードのデータを元に検討していく。

　図表3-2は決算カードのデータから同センターの主な財政指標の推移を見たものである。ただし、先ほど触れたように、同センターの決算カードは 2013 年度（平成 25 年度）分からしか公開されていないので、2012 年度（平成 24 年度）以前のデータは地方公営企業年鑑から引用したものである。

　○　経営状態・財政データは、低下傾向

　図表3-2から分かる健康長寿医療センター財政の特徴の第 1 は、「経常収支比率並びに営業収支比率」が 2009 年の地方独法化以降、傾向的に低下していることである。

　先ほど述べたように、「経常収支比率や営業収支比率」は、当該病院の財政状況を知る上での代表的財政指標であり、いずれも 100（％）を基準として、100 超であれば「黒字」、100 未満であれば「赤字」傾向を概ね示すものである。

　同センターの場合、地方独法化直後の 2009 年度は経常収支比率が 112.1％、営業収支比率が 107.6％と、100％を大幅に上回っており、財政的には余裕のある運営をしていたことが分かる。

　しかしそれから 8 年経過した 2017 年度を見ると、経常収支比率が 97.3％、営業収支比率が 94.8％と、100％を下回っている。いずれの財政指標も 2014 年度から 100％割る水準になっており、2015 年度と 2016 年度は多少値が増加したものの、2017 年度に再び低下していることが確認できよう。

　つまり、健康長寿医療センターの経営は、地方独法化後の方が悪くなっているということである。経常収支比率が 2009 年度の112.1％から 2017 年度の 97.3％へと、実に 15 ポイント近く低下していることをみればそれは明らかである。

図表 3-2 健康長寿医療センター主な財政指標の推移（%）

年度	2009年度	2010年度	2011年度	2012年度	2013年度	2014年度	2015年度	2016年度	2017年度
経常収支比率	112.1	109.3	105.6	106.8	107.6	96.4	98.1	99.6	97.3
営業収支比率	107.6	105.7	101.5	102.3	105.3	92.3	95.0	97.2	94.8

凡例：—◆— 経常収支比率　--■-- 営業収支比率

○　運営費負担金と運営費交付金は、微減傾向

　特徴の第2は、収益の3分の1ほどを占める「運営費負担金」、「運営費交付金」が微減傾向にあることである。「運営負担金」は、地方独法病院が担う「行政的医療」を担保するものとして、地方独立行政法人法で設立団体（この場合は東京都）が負担すべきものとして法定されている費用である。

「運営費負担金」は、第85条を根拠とする。

　地方独立行政法人法　第85条（財源措置の特例）
　①その性質上、当該公営企業型地方独立行政法人の事業の経営に伴う収入をもって充てることが適当でない経費

　②当該公営企業型地方独立行政法人の性質上、能率的な経営を行ってもなおその事業の経営に伴う収入のみをもって充てることが客観的に困難であると認められる経費は、設立団体が負担することが定められている。

　この「85条」の定義は、直営公立病院の総務省が定める一般会計から病院会計への「繰出基準」にほぼ一致する。
　ただし、「運営費交付金」に2分割をしたので、もう一つ、「第42条」の定義を用意した。

　地方独立行政法人法第42条（財源措置）
　設立団体は、地方独立行政法人に対し、その業務の財源に充てるために必要な金額の全部又は一部に相当する金額を交付することができる。

　「運営費交付金」は同法42条で規定され、設立団体の判断で地方独法に交付することができる費用である。交付したあと、経営状況の補填（赤字隠し）にも臨時の建設費にも充当できる。また、財政操作可能な領域が広く、国立大学では、「運営費交付金」の削減が大問題になっている。
　健康長寿医療センターの場合は、研究機能を持っているが、ここへの「補助金」としての「運営費交付金」は、国立大学同様、年々減少してきているという。
　「運営費負担金等　対　経常収益比率」は、2009年度に29.5％であったが、2017年度には25.0％と5ポイントほど低下している。「運営費負担金等　対　営業収益率」も同様である。
　どのデータを見ても、東京都からの「補助金（一般会計からの繰入金）」は、減少のベクトルが下がらない。

（2）決算報告書データの分析

　次に健康長寿医療センターの財政をより詳しく検討するため、同センターが公表している「決算報告書」のデータを検討することにする。

　病院決算カードは総務省が全国の公立病院を比較するために全ての科目が全国同一であるが、「決算報告書」の場合は病院独自の資料であるため、病院決算カードと科目や金額が完全に一致するわけではないことには留意が必要である。

　図表 3-3 は、健康長寿医療センターの主要「収入科目」の構成比の推移を示している。収入合計を１００として、その構成比の推移を見ることができる。

　図表 3-4 は主要「支出科目」の構成比についての推移を示している。使った科目の構成比の推移を見ることができる。

　○　運営費負担金と運営費交付金は、低下傾向（図表 3-3）

　図表 3-3 からも病院決算カードから読み取れる特徴を確認することができる。

　すなわち、「運営費負担金」ならびに「運営費交付金」の構成割合が低下傾向にあることである。

　2009 年度に両者合わせて 31.39％であった割合が 2018 年度には 23.89％へと 7.5 ポイント低下している。

　その分増加しているのが「医業収益」である。

　2009 年度の 57.79％から 2018 年度には 69.61％と、10 ポイント以上増加していることが確認できよう。

　つまり、健康長寿医療センターは、地方独法化後、「医業収益」の強化に向けた経営戦略を進めているということである。

　そうした医業収益強化路線は支出科目の構成割合にも反映されている。

　○　費用（コスト）は抑制基調で推移

　図表 3-4 を見ると、「医業費用」の割合が 2009 年から 2018 年度を通じてほぼ横ばいであることが分かる。

　つまり、医業収益が増大しているにも関わらず、「運営費負担金」や「運営費交付金」の割合の低下も影響した可能性もあり、「職員給与」など医療提供体制に関わる「医業費用」に回す費用がそれほど増えていないのである。

　研究費は、減少傾向を示していた。

図表3-3　健康長寿医療センター・主要収入科目の構成比（％）

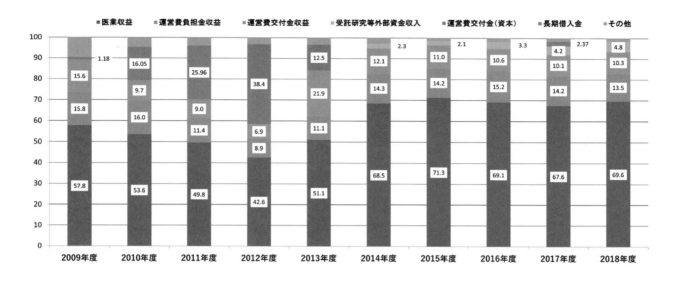

図表3-4　健康長寿医療センター・主要支出科目の構成比（％）

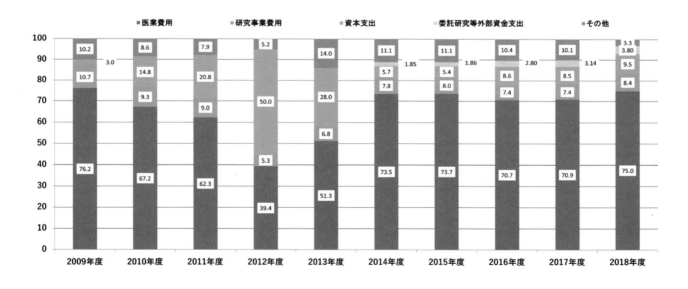

（3）運営費負担金と運営費交付金の分析

　では「運営費負担金」や「運営費交付金」はどのように推移してきたのであろうか。

　図表3-5は、3つの主要収入科目について、2009年度を100とし、その伸び率の推移を見たものである。

　図表5から明らかなように、「運営費負担金」「運営費交付金」ともその伸び率は横ばいか漸減している。

　2013年の「運営費交付金」の急激な伸びは、新病院建設のために東京都が、臨時で建設費用として交付したので、突出している。

　「医業収益」は、2009年＝100とすると、10年経過して、133.7と33％の伸びを示している。

　東京都からの繰入金としての「運営費負担金」「運営費交付金」は、下回る。

　つまり、健康長寿医療センターが担う「政策（行政的）医療」が縮小傾向にあり、その分、患者負担や企業からの研究助成金等の外部負担の依存で「稼ぐ」という経営体質に変化してきている可能性が高いことを図表5は、示している。

　「運営負担金」は東京都が健康長寿医療センターに交付しなければならない義務的な性質を持つ「特定財源（補助金の要素）」（財政では負担金。教育費無償は国庫負担金という）である。

　それは同センターが「政策（行政的）医療」の水準を確保するために必要な極めて公共性の高い病院だからである。

　同センターの場合、具体的には＜救急医療、保健衛生行政、精神医療、リハビリテーション医療、高度医療＞が運営費負担金の対象である[5]。財政用語では、特定財源と言うことができる。

　そうした医療には総務省が基準額を示しており、実際の交付額も基準額以上繰り入れられている。

　一方で「運営費交付金」は、東京都の判断で繰り入れられる「補助金」であり、収益不足対策や建設費など、一般財源の性質を持つ。

　図表3-5で示したように、2013年度と2018年度を例外として2009年度の水準を大きく下回っているのが実態である。「運営費交付金」は、一般財源と言うことができる。

　ここに「運営負担金」と「運営費交付金」の財政性質上の違い、定義上の違いが存在していた。

---

[5] 運営費負担金と運営費交付金の詳細については資料の図表を参照。

図表3-5　健康長寿医療センター・主要収入科目の伸び率（2009年度＝100）

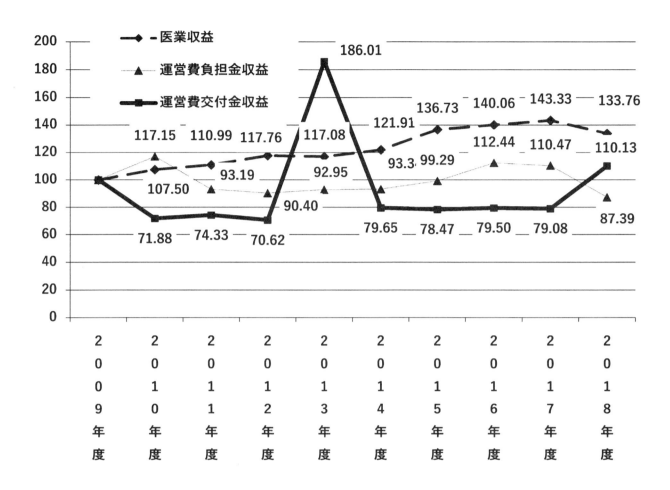

第 5 節　都 立 8 病 院 と 健 康 長 寿 医 療 セ ン タ ー の 比 較

　　次 に 都 立 8 病 院 と 健 康 長 寿 医 療 セ ン タ ー の 比 較 を し て み る こ と に す る 。**図表 3-6** か ら **図表 3-8** は 、経 常 収 支 比 率 、医 業 収 支 比 率 、他 会 計 繰 入 金 （ 運 営 費 負 担 金 等 ） 対 経 常 収 支 比 率 の 3 つ の 財 政 指 標 に つ い て 、都 立 8 病 院 と 健 康 長 寿 医 療 セ ン タ ー と を 比 較 し た も の で あ る 。

　　ま ず **図表 3-6** か ら 経 常 収 支 比 率 を 比 較 す る と 、都 立 病 院 と 健 康 長 寿 医 療 セ ン タ ー と で そ の 傾 向 に 大 き な 差 が あ る と は い え な い こ と が 分 か る 。さ き ほ ど も 述 べ た よ う に 、地 方 独 法 化 し た か ら と い っ て 「 経 常 収 支 比 率 」 が 改 善 す る わ け で も な く 、む し ろ 悪 化 し て い る こ と が 確 認 で き 、都 立 病 院 だ か ら と い っ て 経 常 収 支 比 率 が 100 未 満 、つ ま り 「 赤 字 」 と い う わ け で も な い か ら で あ る 。

　　○　　医 業 収 支 と 営 業 収 支 の 比 較　　（ 医 療 活 動 の 収 入 を 基 本 ）
　　図表 3-7 の 医 業 収 支 比 率 （ 営 業 収 支 比 率 ） は ど う か 。同 比 率 を 比 較 す る と 都 立 病 院 と 健 康 長 寿 医 療 セ ン タ ー と で 明 確 な 違 い が あ る こ と が 分 か る 。

図表3-6　都立病院と健康長寿医療センターの経常収支比率の推移

病院名/年度	2009	2010	2011	2012	2013	2014	2015	2016	2017
広尾	102.3	102.4	101.3	101.6	96.3	93.3	88.7	87.9	86.7
大塚	102.0	100.9	96.6	97.9	100.1	98.6	98.6	94.9	91.0
駒込	100.0	100.0	97.5	99.7	100.7	101.1	99.0	99.0	100.4
墨東	101.1	103.7	105.4	106.3	108.2	104.5	104.1	104.0	101.3
多摩総合	104.6	102.6	104.0	105.0	106.3	102.6	104.2	103.4	102.3
神経	100.0	100.0	100.0	100.0	100.0	100.0	100.0	100.0	100.0
松沢	104.2	100.0	100.0	99.9	100.0	100.0	100.0	100.0	100.0
小児総合	100.0	100.0	100.0	100.0	100.0	100.0	100.0	100.0	100.0
健康長寿	112.1	109.3	105.6	106.8	107.6	96.4	98.1	99.6	97.3

すなわち、健康長寿医療センターの営業収支比率が極めて高いことである。医業収支比率（営業収支比率）は当該病院の独立採算度を示すから、その数値が低下傾向にあるとはいえ、同センターの独立採算制の度合いは高いということができる。

この点では地方独法化は、人件費削減、都補助金削減の結果、自動的に医業のみの収支比率は高くなる[6]。

○　東京都一般会計の「繰入金」「運営負担金等」比較

図表 3-8 は「他会計繰入金（運営費負担金等）対　経常収支比率」の推移をまとめたものである。

先ほど健康長寿医療センターの運営費負担金並びに運営費交付金が横ばいないしは漸減傾向であることを指摘したが、都立直営病院の中でも神経病院、松沢病院、小児総合センターの3病院は概ね健康長寿医療センターと同様の傾向にあるといえる。

しかしそれ以外の都立直営病院は明らかに他会計繰入金対経常収支比率が低下している。つまり、経常収益に占める繰入金の割合が低下しているということである。

他会計繰入金（運営費負担金等）は「行政的医療」の水準を確保するために法律に基づいて東京都が支出しなければならない費用がほとんどであり、その費用（繰入金）が低下しているということは、「行政的医療」そのものが縮小していることを意味する。

つまり、「行政的医療」よりも一般医療で「稼ぐ」ことを重視する路線に都立病院がシフトしているのが近年の傾向なのである。

2019年12月の都議会第4回定例会で小池百合子東京都知事が現在の都立病院と公社病院を地方独立行政法人化することを表明し、その後、都病院経営本部が「新たな病院運営改革ビジョン（素案）～大都市東京を医療で支え続けるために～」を公表した。その中で病院経営本部は、地方独法化後も「行政的医療の安定的・継続的な提供」を行っていくとしているが[7]、**図表3-8**から明らかなように、その財政的裏付けとしての他会計繰入金（運営費負担金等）対経常収支比率が、近年、低下傾向にあることを踏まえれば、極めて疑わしいと言わざるを得ない。

---

[6] 医業収益（営業収益）には繰入金（運営負担金）が含まれており、医業収支比率（営業収支比率）は完全な独立採算制を示す財政指標ではない。

[7] 東京都病院経営本部「新たな病院運営改革ビジョン（素案）～大都市東京を医療で支え続けるために～」（2019年12月）55頁。

図表3-7　都立病院と健康長寿医療センターの医業（営業）収支比率の推移

病院名/年度	2009	2010	2011	2012	2013	2014	2015	2016	2017
広尾	81.6	80.3	81.5	82.7	83.4	81.3	75.9	75.6	76.0
大塚	77.4	77.1	79.2	82.5	81.7	80.8	81.5	79.5	75.0
駒込	73.5	73.9	72.9	79.1	80.9	83.9	82.0	81.1	83.9
墨東	79.1	83.5	88.7	92.9	92.2	89.8	90.0	89.3	89.5
多摩総合	80.8	81.1	86.9	91.0	92.1	89.4	91.6	91.0	90.7
神経	54.9	54.7	56.4	58.1	59.7	59.6	62.4	55.3	54.3
松沢	52.7	56.1	57.9	50.4	58.1	58.1	57.5	56.7	55.0
小児総合	22.6	56.7	64.7	68.5	69.8	68.1	72.0	73.1	69.7
健康長寿	107.6	105.7	101.5	102.3	105.3	92.3	95.0	97.2	94.8

図表3-8　都立病院と健康長寿医療センターの他会計繰入金（運営費負担金）対経常収支比率の推移

病院名/年度	2009	2010	2011	2012	2013	2014	2015	2016	2017
広尾	29.9	28.1	24.4	24.3	20.5	20.8	23.3	23.3	20.8
大塚	28.7	26.8	21.2	18.9	22.0	22.2	22.2	21.7	20.9
駒込	28.7	28.2	28.1	23.1	21.8	19.9	19.7	20.6	19.8
墨東	29.8	27.3	24.8	21.5	23.9	23.5	22.6	23.5	21.6
多摩総合	30.4	25.9	21.3	18.0	18.5	18.6	17.5	16.7	16.6
神経	44.5	43.9	42.1	41.4	38.9	39.7	37.1	43.8	45.0
松沢	43.6	44.6	42.4	50.3	42.9	42.9	43.4	44.3	45.5
小児総合	92.0	46.8	37.6	33.8	33.6	36.0	32.1	31.4	33.4
健康長寿	29.5	31.3	27.6	27.3	37.5	26.2	25.2	25.7	25.0

第6節　地方独立行政法人化で財政は好転しない

　以上のように、運営形態の地方独法化によって健康長寿医療セン
ターの財政が好転したとはいえない。

　むしろ「運営費負担金」や「運営費交付金」は、漸減傾向であ
る。これは、独立行政法人化する目的として、国立大学や国立病
院の財政の変化と同じである。

　ただし、今回、解明したように「運営費交付金」だけの削減で
はなくて、2分割した「運営費負担金」と「運営費交付金」の使
い分けをしながら、総額として、減少させていた。

　つまり、東京都財政負担は、徐々にではあるが、減少・削減し
ていることが、明確になった。

　そして、そのしわ寄せは、患者さんと看護師さん達にいく。診
療報酬に合致させる傾向の経営運営方式に転化していく過程と
捉えることができよう。

　つまり「営業外収支」への依存は、深くなる。

　その結果、差額ベッド代の高騰や入院保証金の導入など、患者
負担が増大している。それは第5章の住民アンケートの記述回答
で負担が増大しているという声を見れば明らかである。

　このように10年経過した地方独立行政法人・健康長寿医療セ
ンターの財政分析の結果を見ると、これから地方独立行政法人化
された場合の病院財政のインパクトは、健康長寿医療センターの
ように「患者負担が増大」し、「職員の待遇が悪化する」ことは
間違いない。

　というのは、採算を重視した経営に転換させるために地方独法
化が行われる以上、患者負担の増大（収益の拡大）、職員の待遇
悪化（費用の節減）によって経営力を強化せざるを得ないからで
ある。

　健康長寿医療センターの10年は、そのことを如実に物語って
いるといえる。

第4章　【座談会】
地域住民からみた東京都健康長寿医療センター

司会（山本輝美）：かつての「東京都老人医療センター」は2009年に東京都立から地方独立行政法人（以下「独法」）運営になり、名称も「健康長寿医療センター」（以下「センター」）になって今年で11年目を迎えます。

　労働組合も小さくなり、現在は都庁職衛生局支部の健康長寿分会として活動をしています。私は都職員の方の組合の分会長をしている看護師です。

　なかなかご家族や患者さん自身からセンターについてのご意見を聞く機会がありませんので、受診されての忌憚ない生の声をお聞かせてください。

自分も夫も親もセンターでお世話に

住民A：私は3年前にセンターに約1ヵ月、検査入院しました。現在もセンターで治療を受けています。私の母親もセンターにお世話になりました。

住民B：この2年ぐらいの間に、血尿が出てセンターで診てもらったり、脳神経科に入院したりしました。昨年の暮れから、椎間板ヘルニアと狭窄症で2度、手術を受け、その後、感染症にかかって2度、同じところを切り、退院してまだ1ヵ月半です。

住民C：私はセンターのすぐ近くに住んでいて、一昨年からパーキンソン病で通っています。豊島病院の守る会で運動してきて、その面からもセンターといろいろ関わりがあります。

職員の皆さん、すごく親切

住民D：私は年に1回、骨粗しょう症健診できているだけですが、もう10年近く前の東京都老人医療センターのときに、主人がここで胃がんの手術をしました。職員の皆さん、すごく親切で、老人病院だけあって、扱いがすごく優しかったという記憶があります。

住民E：入院したときも、夜中でもナースコールをポンと押せば看

護師がすぐきてもらえたし、とてもよい病院でした。

司会：センターについて、ご近所の方から評判とか聞きますか？

住民D：みんな年寄りの患者相手だから、看護師さんが対応を患者によく合わせてくれるっていう話は聞きます。

住民E：娘の義母が一昨年の 1 月にセンターで亡くなり、その 2 年ぐらい前に私の義理の兄もここで亡くなっています。私の友達も入退院していますが、職員の皆さんの評判はいいですよ。

住民F：知人の奥さんが 2 ヵ月ぐらい前に舌がんでセンターで亡くなっていて、私も 2、3 回見舞いに行ったんですが、最後、緩和ケアですごくよく見てもらったと喜んでいました。

住民E：私自身は、入院したとき、入浴で女房にもしてもらえないほどしっかり洗ってもらえたし、いろいろ対応してもらい、入院して良かったなと思っています。

住民G：入院して感じたのは、看護師は本当に忙しいから大変だけど私にとっては救いの神でした。

司会：医師とか看護師とかも余裕があればもっと優しくなれると思いますが。

住民H：私はいくつかの病院にかかって知っていますが、ここの病院の先生も看護師さんも、いろんな補助をしてくれるおばさんたちも車いすを押してくれるし、本当に親切です。若い先生でもちゃんと患者に接してくれます。リハビリの先生たちも親切ですね。病室まできてくれて、話をしてくれたり。ほかの病院ではこんなことはありませんでした。みんな、安い給料でがんばっているなと思います。

住民H：私の場合、病院に入院する 1 週間ぐらい前から何も食べられなくなっていたのですが、食べられなくても調理師や看護師さんなどが「うどんにしましょうか」、「おかゆにもできますよ」と、いろいろな心配してくれました。

司会：センターの職員はずっと長く勤めている方も多いので、技術的にレベルが高く、都立病院の最先端を行く部分もあります。

病室も廊下も広いし・・・

司会：センターの設備などについての感想はいかがですか。

住民F：病室は広いですね。日大板橋病院などは本当に狭いです。病

室のカーテンとカーテンとの間はセンターの方が倍ぐらいあります。廊下も広いし、エレベーターもたくさんあるし。

住民E：本当に病室は広くて、ベッドのまわりは何人か見舞いに来ても対応できます。

住民H：病室は広いし、きれいだし、ベッドのそばに衣装の棚みたいなのが付いているのはいいと思いました。

職員が少ない

住民F：私、日大板橋病院に入院したことがありましたが、そこと比べセンターの職員は少ないなと思いました。
昼間、廊下で見渡す限り、職員がいませんね。日大板橋病院は大学病院だから、日中は学生からシーツを交換する人まで看護師さんではない人が大勢、廊下で見ます。

司会：センターは看護助手も1人か2人しかいません。看護師配置基準の7対1は取っているんですけれど。

外来受診を窓口で断られる　予約が取れない

司会：受診してご不満なところはありますか。

住民G：具合が悪いので受診したくてセンターに行っても「予約していなければ駄目です」と受付で断られてしまいます。

住民E：私は、外来受診の予約がなかなか取れませんでした。具合が悪くて電話をするのだから、患者はすぐにでも見てもらいたいのだけれども、早くて2週間後、3週間後とかでないと外来受診の予約が取れません。
　私の知人は町の開業医の先生に紹介状をもらって、予約の電話をしたら受診は3ヵ月先ということでした。

住民E：私も、2年前に予約なしで外来受診にきたら、「予約してもらわなきゃ診られません」って断られました。「とても具合が悪いんです」といったら午前の診療の最後に入れてくれてくれました。結局、午前9時に来て午後1時まで待たされました。
それから、日曜日でしたが、血尿が出たので、かかりつけだった小豆沢病院へ血尿を持っていきましたら、その病院の先生は自分では診られないのでセンターに「大変なんです」とけんめいに電

話してくれて、ようやくセンターの救急科で診てもらえました。

住民N：センターで狭窄症の手術を受けて退院しましたが、退院後もずっと痛みが取れませんでした。術後の通常の痛みかとがまんしていたんですが、3週間経った後に女房が「傷口が変だ、診てもらったら」というので、センターに電話したのです。そうしたら受付の予約係の職員から「あなたは術後1ヵ月検診が1週間後に予定されているから、その日に受診してください」といわれました。

　「傷口が変なんでぜひすぐ診てもらいたい」と必死で頼んだらようやく看護師さんに電話を回してくれました。その結果、「すぐきてください」となり、医師から「感染症だ」といわれ、即入院、即手術、もう1週間遅かったら命が危なかったといわれました。

　患者は大変だからぜひ診てもらいたいと連絡するわけですから、もっと大変な思いに応えられるような体制ができないのかと、このとき特に強く感じました。

「有料の個室なら入院しない」と抵抗

住民E：感染症になって2回目の入院のときに、センターから「個室しか空いていないがどうしますか」といわれました。個室料（差額ベット料）は最低でも1日約1万2千円（最高2万6千円）ですから、「個室に入るんだったら、私は入院しません」といったら担当医師が事務室と交渉してくれて、個室料は免除になりました。

　通常の手術がうまくいっていれば、2回目の手術も入院もなかったわけで、手術料を含めて安くしてもらえないのかと思いましたが。もうちょっと温かみのある対応があってもよかったと思いましたね。

ナースコールを押しても看護師がなかなかきてくれない

住民F：知人がセンターに入院して検査したら膵臓がんで1ヵ月もたないといわれ、結局、亡くなりました。私も彼と親しかったので、毎日のように見舞いに行っていましたので、本人が訴えたこと、

私も気付いたことをいいたいと思います。

　本人がいっていたんですが、ナースコールを押して、看護師がくるまでが長いときだと 10 分ぐらいかかるのです。

　まず 1 回くるんですが、「担当を呼びます」と戻って行く。

　つまりその患者の担当看護師がくるまで 2 回手間がかかるので、それまで「しばらくは何も対応してもらえない」と、結構いらついていました。

　最後、亡くなる 2 日前ぐらいですが、その日は昼間に処置をするといわれていました。私が夕方、面会に行ったときに「処置は終わったの？」と聞いたら、苦しそうにして、「今日は何もやってもらっていない」とのことでした。

　先生も看護師さんも忙しかったのか、何度呼んでも、「まだです」といわれて、結局、その処置をされたのが夜だった。

　亡くなる 1 日、2 日前です。

　1 日中、苦しんでいるのに、放っておかれたことが悔しくて、最後の力を振り絞って抗議したみたいですが、そのつぎの日に容体が急変して、夕方には意識もなく、その夜が明けた 3 時ぐらいに亡くなりました。

　もうちょっと優しく対応してもらえれば、1 日でも 2 日でも生き伸びたのかなと私は思いました。それと、病室を転々とさせられることが不満でした。

頻繁な病室異動　機械的な看護師の患者担当制

住民P：私は入院して最初に 6 階の西棟に入ったのですが、そこに最後までいられるのかと思ったら、途中で東棟に代えられました。

　そうすると、担当の看護師も代わるし、同じ階なのに、違う病院に入ったみたいに対応もころっとが変わる。患者にとっては、関わった看護婦さんとせっかく顔見知りになったのに、また新しい看護師さんと対応することになります。

住民E：同じ病室でも看護師さんが担当する患者が違う。

　朝、「担当が代わりました」と看護師さんがあいさつにくるのですが、担当の患者さんとはあいさつを交わしていくけれど、隣の患者には声もかけずに行ってしまう。あまりにも機械的な分担だなと思いましたね。

住民I：病室を転々と動かされるというのは通常のことですか？

司会：具合が悪い方がまず看護師室に近い病室に入っていただき、良くなると看護師室から遠い部屋に移っていただいています。

住民I：それは以前はなかったけど、地方独法化されてからそうなったということですか？

司会：いまは入院期間が短くなっていますし、そのほか、空室がないために別の病棟に入って、ベットが空くと本来の病棟に移っていただく場合もあります。なおかつ入院期間が短いので、「2、3日でどんどん動くのか」みたいな印象を持たれます。

　とにかく14日以内に退院という急性期病院のためにこのようになってしまいます。

　国の方針として、入院期間を短縮し、家に早く帰ってもらう病院としての補助金を得るために、看護師も医師も多く配置しています。そういう補助金をもらっているから、いい医療機械も入るというところはあります。

もっと医師とのコミュニケーションがほしい

住民J：お医者さんとのコミュニケーションをもうちょっと改善ができないかといつも願っています。

　病状のことだけでなく、「具合はどうですか」、「食事はどうですか」とか、少し余裕を持った患者との会話がほしい。こちらからたまに話しかけるのですが、あまり返事が返ってきません。

　あれだけ患者さんが診療を待っていれば忙しいから、先生の方もなるだけ早く診察して、予約どおりにこなしていきたということもあるのでしょうけれども。

住民K：私は3年前に血液のがんでお世話になり、今もお世話になっています。

　患者は大変な病状になってからここにくるので、どうしても自分中心に考える。耳が聞こえない人だとか、歩けない人だとか、トイレに行くのがやっとだとか、大変な患者さんが多い。そういう人に下の世話からしてあげているわけで、看護師さんもあれだけのお年寄りの方を面倒見るのは、普通の病院と違って大変だなと思いますね。

　入院して一番ありがたいのは、先生がいい先生であることもも

ちろんですが、看護師さんが患者とどう対応しているかによって患者の気分がすごく変わってくるわけで、一番大事なことだと感謝しています。

"公的病院" という安心感

住民K：センターにかかる患者にとっては、ともかく公的病院だ、お金がなくても安心して、治療を受けられるという安心感が一番大きいと思います。

予約制で、ある程度待たなくちゃならないのは、それだけ利用したい人がいるわけですから、仕方がないと思いますね。

ほかの病院にはないような医療機器もあるようで、患者にとってはすごくありがたいと思います。私もそのおかげで病気の原因が分かった。公的病院に対する信頼という意味で、今ある8つの都立病院を直営のまま残していくことが、非常に重要だと思います。

住民L：私の住んでいる地域にもいっぱい高齢者がいて、医療、健康の問題にすごく関心があり、センターが気楽に利用できるのかどうか、以前の気軽に受診できた東京都老人医療センターとは変わってきているんじゃないかとみんな気にしています。

だから、患者を中心に集まりを持って、センターに意見をいえるような会を作って運動することが大切と思います。

住民M：やはり、看護師さんなり、お医者さんなりの給料が一定程度保障されないとなかなか職場に定着しないと思います。定着して初めて、いい看護師さんになっていくんじゃないでしょうか。

司会：ありがとうございました。今後も、労働組合もがんばりますし、患者さんからも、先生にも要望をいっていただくとそれはそれでまた刺激になると思います。今後もよろしくお願いいたします。

（座談会実施：2018年10月）

第5章 住民アンケートからみる
健康長寿医療センターの問題点と課題

はじめに

　本研究会では、健康長寿医療センターが、地方独立行政法人化（地方独法化）から10年を迎えるにあたり、同センターが所在する板橋区を中心に5万枚のチラシ（96・97p）を配布し、東京都からの財政負担の削減や患者負担の増大など、地方独法化の問題点を住民に周知する取り組みを進めた。

　その地域宣伝チラシの中に「アンケート」添えて、周辺住民が現在の同センターについてどのような意見があるのかについて調査を行った（以下、「住民アンケート」とする）。

　このチラシに刷り込んだ住民アンケートは、わざわざチラシから、ハガキ代の該当部分を切り取って、送り返さなければならない。実に、回答者にとっては、手間になる調査であったが、半年間の回答期間で約600件の回答があった。

　この約600件の回答数は、少なくない。

　本研究会では、100を超えれば充分だろうか、という会話がなされていたくらいだった。200・300と集まってくると、健康長寿医療センターとの住民との関わりの深さ、それは旧養育院からの歴史的蓄積もあるからだと理解をするに至った。

　「住民アンケート」は、健康長寿医療センターの利用者や周辺住民がどれくらい同センターについて知っているのか、また都立直営時代と比べて医療サービスなどが良くなったかなど、現在、地方独法化病院として運営されている同センターの問題点を探り、どのような課題があるのかを抽出するために行われたものである。

　同時に、東京都立病院の地方独立行政法人化の検討が始まっていた都政の動きを注視していた。そのために、地域宣伝チラシでは、地方独立行政法人された健康長寿医療センターの実情、都立病院の現状、400億円の使い道などを知らせる役割も持つこととなった。

　本章では、「住民アンケート」の調査結果の紹介、並びに調査結果から見えてきた健康長寿医療センターの問題点と課題をまとめた。

　なお、具体的に記述された住民の声は「住民アンケート　Q4の主な記述回答」として資料編（139〜143p）を参照されたい。

96

都立病院の地方独立行政法人化の検討は中止を！ 都立病院存続！ 医療を充実させよう

私たちは、都民に必要なことをしています

Q どうして小池都政は、都立病院を地方独立行政法人化しようとしているの？

A 2つの理由をあげています。使っている都民の税金400億円を削減することと、議会や職員組合の民主的関わりを縮小することです。都立病院に知事の権限が強くなり、患者負担が増えて、医療職員の待遇が悪化することが懸念されます。

ガイド 都立病院

8つの都立病院があります。困難な病気を治すために、最新の機械と技術で患者さんの治療に向き合っています。

都立病院名	主な重点的医療	病床数	400億円(注)の内訳
駒込病院	がん・エイズ	815	66.5億
大塚病院	周産期・障がい者	508	28.8億
広尾病院	島しょ・心臓救急	478	30.3億
墨東病院	救命救急・感染症	765	68.3億
松沢病院	精神・アルコール薬物	898	60.1億
多摩総合医療センター	難病・移行期	789	53.8億
小児総合医療センター	小児がん・小児心臓	561	61.4億
神経病院	神経難病	304	30.8億
計		5118	400億

(注)一般会計から病院会計への繰入金・決算。

がんの治療が終わって、元気になるようにリハビリや退院のための在宅ケア環境整備に協力しています。駒込病院への都民のお金は、次のように使われています。

高度医療 52億4700万円
救急医療 3億3300万円
保健衛生行政医療 3億2000万円

400億円が地方独立行政法人化によって削減され、がん医療や感染症医療の低下になることが、心配です。

400億円を赤字という都議やマスコミ報道があります。が、それは間違いです。本当に都民の医療活動に使っています。次の医療活動に使っています。

400億円の使い道

高度医療 121.1億円 (30.3%)
精神医療 103.6億円 (25.9%)
その他(難病・結核等) 73.6億円 (18.4%)
保健衛生行政 6.2億円 (1.6%)
小児医療 26.9億円 (6.7%)
救急医療 68.6億円 (17.2%)

東京都の情報公開で入手(平成28年度決算)

私たちの治療に使われているのですね。もっと具体的に説明してください。

〈駒込病院〉
高度医療は、がん医療、骨髄移植医療、高度医療機械減価償却費。
保健衛生行政医療は、感染症医療、エイズ医療などです。

東京都健康長寿医療センターに関するアンケート

該当する番号に〇をつけてください

Q1 小池都政による補助金削減のための都立病院民営化についてどのように思いますか？
①反対 ②賛成 ③よく分からない

Q2 健康長寿医療センターが2009年に民間(地方独立行政法人)になったのを知っていますか？
①知らなかった ②知っていた ③よく分からない

Q3 この10年で健康長寿医療センターの医療看護は変わりましたか？またその理由は？
①よくなった ②変わらない ③悪くなった
理由(　　　　　　　　　　　　　　)

Q4 健康長寿医療センターに対する要望など、自由にお書きください

私たちは、都立病院の民営化の検討を止めさせるために、100万署名活動に取り組んでいます。都民の皆様の力を集めて、都立病院の福祉医療を充実させていきましょう。

都立病院の充実を求める連絡会

健康長寿医療センターをよくする会
(協力) 都立病院の充実を求める連絡会

https://toritu-mamoru.com

第１節　住民アンケートの目的と回答者の属性

　１０年経過した、東京都健康長寿医療センターは、地域からどのような評価を受けているのだろうか。

　また、患者さんとして利用された方、家族の方は、現在の健康長寿医療センターに対して、感謝や不満、さらには改善してほしいこと等はどのようなことがあるのだろうか。

　地方独立行政法人化されたこと、さらに東京都が都立病院を地方独立行政法人化しようとしていることについて、住民の理解夜間心はどのようになっているのか。

　これらを明らかにするために、社会調査の基本の一つである「住民アンケート」に取り組んだ。「住民アンケート」の方法は、社会運動的な方法を採用した。

　社会運動的な方法とは、現在の都政の医療政策の焦点である、地方独立行政法人問題は、健康長寿医療センターが先行して経営形態の変更をしているので、そのことによる実情等を地域住民に周知することと重ねて、裏表のチラシを作成して、そこにハガキスペースの「住民アンケート」を用意した。

　そしてチラシの配布方法は、健康長寿医療センターの地域の周辺に絞って、新聞（朝日、読売）に宣伝チラシを入れた。約４.５万枚を同封。

　さらに、病院の門前による配布、地域住民の協力による手渡しなどで、「住民アンケート」付きの宣伝チラシを５千枚配った。

　　　＜調査期間＞　　２０１８年１１月～２０１９年５月
　　　＜回答数＞　　　５９６件　（２０１９年５月）

　約６００の回答のそれぞれの回答の集計結果も重要な知見を得ることができたが、それ以上に驚いたことは、自由記述蘭に、病院への感謝の声、改善して欲しい意見、都立病院が地方独立行政法人になることへの不安等、多くの記述が書かれていたことである。

　その自由記述蘭から、代表する特徴的な意見も紹介する。

　健康長寿医療センターは、地域住民から、極めて高い関心を持たれていることが、分析のスタートとなる。

　　　○　住民アンケートの回答者の属性　　（**図表５－１**）

　回答者の年齢７０代以上が、高いこと。家族構成は、２人以下が７０％を占めること。回答者の地域は、健康長寿医療センターの近隣・板橋区が、８０％。豊島区が１０％であった。

図表5-1　住民アンケートの回答者の属性

性　別	件　数	構 成 比 (％)
男	250	41.9
女	332	55.7
無 回 答	14	2.3
小　計	596	100

年　齢	件　数	構 成 比 (％)
10 代	0	0.0
20 代	1	0.2
30 代	0	0.0
40 代	13	2.2
50 代	43	7.2
60 代	107	18.0
70 代 以 上	425	71.3
無 回 答	7	1.2
小　計	596	100

家 族 構 成	件　数	構 成 比 (％)
1 人	130	21.8
2 人	295	49.5
3 人	92	15.4
4 人	49	8.2
5 人 以 上	17	2.9
無 回 答	13	2.2
小　計	596	100

地　域	件　数	構 成 比 (％)
板 橋	487	81.7
豊 島	62	10.4
練 馬	9	1.5
北	25	4.2
そ の 他	6	1.0
無 回 答	7	1.2
小　計	596	100

第 2 節　健康長寿医療センターはどのように評価されているか

　次に地方独法化や健康長寿医療センターについて、回答者がどのような評価を行っているのかを見てみる。

　まず「Q1 小池都政による補助金削減のための都立病院民営化についてどのように思いますか？」との設問に対しては、回答者の 85.4％ が反対と答えている。

　設問に「補助金削減のため」という文言があるために「反対」と答えた回答者が多くなった側面はあるものの、都立病院の民営化については否定的な声が多いことが分かる。

図表5－2　都立病院民営化についての意向

Q1　小池都政による補助金削減のための都立病院民営化についてどのように思いますか？

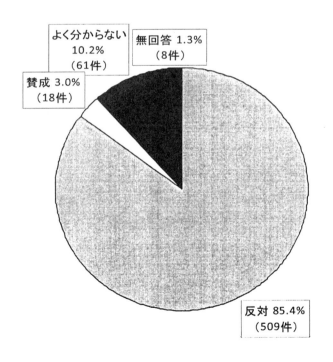

よく分からない 10.2%（61件）
無回答 1.3%（8件）
賛成 3.0%（18件）
反対 85.4%（509件）

では病院の運営形態についてはどうか。「Q2 健康長寿医療セン
ターが 2009 年に民間（地方独立行政法人）になったのを知って
いますか？」という設問に対しては、「知らなかった」が 43.3％、
「知っていた」が 51.2％と回答が二分される結果となった（**図表
5-3**）。
　「知らなかった」と回答した人が約半数いるということは、運
営形態についての認識が住民や利用者にあまりないということ
であり、そもそも都立直営と地方独法でどのような点が異なるの
か、東京都は地域住民に丁寧な説明をしてこなかったことの反映
である。

図表5－3　地方独立行政法人化の認知度

Q2　健康長寿医療センターが2009年に民間（地方独立　　行政法人）になったのを知っていますか？

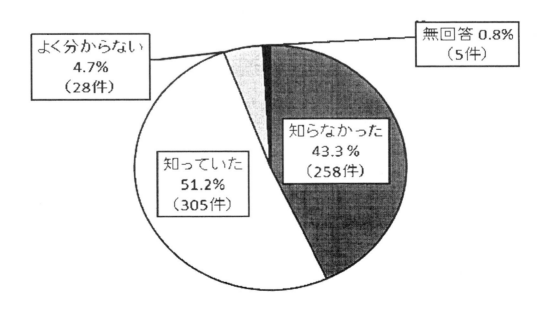

「Q3この10年で健康長寿医療センターの医療看護は変わりましたか？」という設問に対しては、「無回答」が43.5％と大きな割合を占めている。

住民アンケートが必ずしも利用者のみを対象としていないことが「無回答」割合が多い要因である。

何らかの評価をした回答では「変わらない」が24.3％で最も多く、「よくなった」（18.6％）と「悪くなった」（13.6％）は回答が二分した。

「よくなった」の111件と「悪くなった」の81件については、この単純集計ではこれ以上の分析はできない。しかし調査の注目点は、この2つの存立状況にある。

図表5−4　健康長寿医療センターの変容

Q3　この10年で健康長寿医療センターの医療看護は
　　変わりましたか？

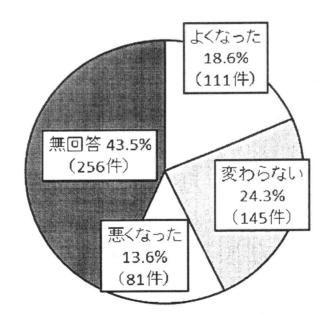

では地方独法化への認識（**図表5-2**）と、この 10 年の評価（**図表 5-3**）にはどのような関係があるのか。それを示したのが「**図表 5-5**」である。地方独法化への認識とセンターに対する評価には明確な関係ある。

図表５－５　地方独立行政法人化を知ると、悪化した人が増える

構成比　％

	知らなかった	知っていた
よくなった	15.5	21.7
変わらない	24.8	24.3
悪くなった	**7.4**	**19.7**
無回答	52.3	34.5

（注）　回答者の認知度と変容のクロス集計

このクロス集計で特徴となったことは、地方独法化を「知っていた」人で「悪くなった」（19.7％）に対して「知らなかった」（7.4％）という差である。この差から推測できることは、「悪くなった」と回答した人の中の比率として、地方独法化を「知っていた」比率と関係性がありうることである。つまり地方独法化の理解が進むとセンターの悪化した部分の要因として浮上してくる可能性がある。

○　よくなったこと
具体的にはどのような点が「よくなった」あるいは「悪くなった」と住民・利用者は考えているのか。
「Ｑ３この 10 年で健康長寿医療センターの医療看護は変わりましたか？」という設問にはその理由を記述式で回答してもらうよう設定されているので、特徴的な回答を取り上げてみる。
まず「よくなった」と回答した中で多かったのは、「建物がキレイ」（50 代、女性）、「病院がきれいになった。大部屋にゆとりができた」（50 代、女性）、「病院が広くなったので落ち着いて説明ができている」（70 代、女性）など病院の建物・設備に関することが肯定的な評価となっている。
また「スタッフの連携が良くなった」（70 代、男性）、「年寄りに見合った親切で素晴らしい病院」（70 代、男性）など提供される患者へのサービスの満足度も見ることができる。

○　悪くなったこと
一方、「悪くなった」と回答した中で多かったのは

「予約が取りにくくなった」（70代、女性）、
「患者が多すぎる」（70代、男性）、
「設備の割には診療の質が落ちた」（70代、女性）

という指摘がある。
また入院時の個室代（差額ベッド代）については、

「2万6,000円の支払いに驚いた」（70代、女性）、
「入院保証金10万はおかしい」（70代、女性）

といった回答が散見され、患者負担の増大に不満を持つ声もある。

第3節　健康長寿医療センターに対する住民・利用者の要望

　本調査では「Q4 健康長寿医療センターに対する要望など、自由にお書きください」という記述式の設問を設けている。
　ここではそのいくつかを取り上げ、住民や利用者の要望等の特徴を整理してみよう。
　記述式にも関わらず、回答者のほとんどが何らかの要望や意見を記入しており、健康長寿医療センターへの「期待」の高さがうかがわれる。

（1）予約の取りにくさ、待ち時間の長さ
　「Q4」で多かったのが「予約の取りにくさ」や「待ち時間の長さ」に対する不満である。「予約が取りにくい。6か月待ち」等、病人にとって非常に心配が多い。

「理由は医師不足とのこと。考慮して欲しい」（70代、女性）、
「混んでいるので行きたくない。予約してあってもすごく待たされる」（70代、女性）
「予約とか予約変更の電話がなかなかつながらない時があります。困って交換台に直接電話したらすぐにつながりました」（70代、女性）

などの回答が典型的である。
　また会計時に待たされることへの不満なども少なくなく、病院内の会議に置いても、大きな課題になっていることが、判明して

いる（52p参照）。患者の方には切実な問題として認識されている様子がうかがえる。

（２）患者負担の増大
患者負担の増大に対する意見も多かった。

「お金があるかないかで医療の選択肢がこれ以上狭まるのはつらい。
差額ベッド料のある部屋しか空いていないのでそこしか入院できないと言われた。税金を払っていてもこうなるのですね。安心してかかりたいです」（50代、女性）

「乏しい年金で暮らしている人が多いので、入院の際の個室料金は大変困ります。
安心して治療が受けられるよう願います。
職員の処遇が良くないと患者も困ります。ゆとりを持って働ける職場になってほしい」（70代、女性）

（３）民営化への懸念・反対
そうした患者負担への増大に対して民営化や補助金削減に対する懸念や反対の意見も多い。

「官から民への公共事業がどんどん移管されていくことに反対です。医療は国民の生命にとって最も必要とされるものです。民から官に戻してほしいです」（70代、男性）

「民営化するということは利益を追求することだと思います。私たち都民の生命・健康にかかわる都立病院は採算も大切ですが直営により都民の生命を守るのが本当です」（70代、男性）、

「民営化のような流れで医療費高騰や医療の質の低下、民主的な監視ができなくなる流れを止めて頂きたいと思います」（40代、女性）

第４節　広尾病院の改築に関するアンケートとの比較

本アンケートと同時期に、「広尾病院を都立のままで存続・充実させる会」が、同様の方法によるチラシにハガキを載せた「住民アンケート」を行っている。同会では 2019 年 2 月に「『都立広尾病院の改築に関するアンケート』報告書」を公表しているので、

本アンケートとの比較を行ってみよう。

　広尾のアンケートは広尾病院周辺の渋谷区、港区、目黒区並びに大島町、八丈町の住民と患者の方を対象に新聞折込を中心に3万枚のアンケートを配布し、郵送（はがき）による回収を行い、912通の回収数を得ている。

　回答者の性別では男性38.2％、女性59.5％と、健康長寿医療センターの住民アンケートと同様、女性回答者の割合が高い結果となっている。また年齢別では70代以上が51.6％と、健康長寿医療センターに比べて若干低いものの、圧倒的に高齢者の回答が多い。

　広尾病院の地方独法化に対しては、「都立で運営すべき」が90.1％、「独法化してよい」が3.1％という結果になっており、圧倒的多数が都立直営を維持すべきと回答している。健康長寿医療センターの住民アンケートでは、「Q1　小池都政による補助金削減のための都立病院民営化についてどのように思いますか？」との質問に対し、「反対」が85.4％であったから、都立直営を望む声が健康長寿医療センター、広尾病院周辺の住民や患者の方の中では多数派であることが明らかである。

第5節　住民アンケートで分かったこと

　住民アンケートで分かったことは、次のことである。
　第1は、地方独立行政法人化を肯定的に評価するよりも否定的に評価する声が多いことである。
　記述式回答では、具体的な不満が散見された。また、広尾病院の「住民アンケート」と健康長寿医療センターの「住民アンケート」で共通したことは、都立直営を望む声が圧倒的多数だったことである。
　住民・患者は地方独法化を望んでいるとはいえない状況である。
　第2は、そもそも地方独立行政法人とは何なのか、直営から地方独法化に運営形態が変わると住民や利用者にとって何が変わるのかといったことがほとんど知られていないことである。
　本報告書の他章で明らかにするように、地方独法化は財政や行政面で病院運営に大きな影響を及ぼすものである。本アンケートでも回答されているように、差額ベッド代の増大などの形でそれは既に可視化されている。
　しかし「Q2健康長寿医療センターが2009年に民間（地方独立行政法人）になったのを知っていますか？」という設問に半数近くが「知らなかった」と回答していることからも明らかなように、地方独立行政法人そのものが良く理解されていないのが現状で

ある。

　第3は、健康長寿医療センターに対する住民・利用者の期待は大きいということである。

　高齢者を専門に扱う病院として利用者・地域住民の期待は高い。

　以上のように、アンケート調査からは、住民や患者（利用者）が地方独法化を望んでいないのは、東京都からの財政的援助が少なくなるばかりでなく、職員の待遇悪化が医療の質の低下に結びつくことを懸念しているからであることが示されており、こうした住民や利用者の声を丁寧に汲み取ることが都立病院全体の質を高めていくことの基本的前提であることが示されているといえよう。

第6章
東京都健康長寿医療センター職員の厳しい労働環境

―職員アンケート分析からの考察―

第1節　10年経過した労働環境を調査

　石原都政以来、東京都は福祉や医療の削減・民営化・企業化を加速的に進めてきた。

　その中で146年の歴史を持つ「養育院」の一部であった「東京都老人医療センター」は、地域住民や区議会・職員・労働組合の大きな反対にも関わらず、2009年4月、東京都で初の「地方独立行政法人化」に踏み切った。病院及び研究所は、「地方独立行政法人・東京都健康長寿医療センター（以下健康長寿医療センター）」となった。

　2013年には、病院の全面的な建て替えに着手した。

　そして、現在の地方独立行政法人化された「健康長寿医療センター」は、高齢者への医療や研究を中心に、二次救急、人口心肺・癌緩和・認知症等の高度な医療や看護を提供する総合病院と研究所を運営している。

　職員数は、病院及び研究所で非常勤含め約1300名である。

　現在、健康長寿医療センターは、地方独立行政法人化され10年が経過した。その経過の中で現状の評価を多方面から実施する必要がある。

　これらは、東京都が検討している「東京都立病院の地方独立行政法人化への準備」を再考する重要な材料となろう。

　この章では、都庁職衛生局支部健康長寿医療分会[1]が2018年に[2]自治労連とともに実施した「職員労働実態アンケート」の結果分析を中心に、健康長寿医療センター職員の労働環境の実態に迫ってみる。その労働条件の評価を踏まえて、職員の要望について考察をしていくことにする。

---

[1] 都庁職養育院支部も縮小され2017年度に衛生局支部と合流し、都庁職養育支部病院分会は都庁職衛生局支部健康長寿分会となった。
[2] 自治労連の正式名称は、「日本自治体労働連合組合総連合」

```
┌─────────── 健康康長寿医療センターの概要³ ───────────┐
│ 病床数     ：５５０床                                │
│ 診療科     ：３１科（二次救急対応）                  │
│ 平均在院日数：11-12日                                │
│ 職員数     ：約1300名⁴                              │
│ 職員身分   ：地方独立行政法人健康長寿医療センター職員 │
│             （非公務員・ 理事長任命解雇実施）        │
│ 給与体制   ：複合型成果主義給与体制⁵                 │
└─────────────────────────────────────────────────┘
```

第2節　調査研究の概要

1．研究目的

　　健康長寿医療センターが地方独立行政法人化１０年経過した。その現状評価を働く立場から行う必要がある。そのため2018年に都庁職衛生局支部健康長寿分会が実施した「職員労働実態アンケート」等の分析を中心に、健康長寿医療センター職員の労働環境について考察する。

2．研究方法

アンケート調査分析（資料としてp144〜149参照のこと）

3．研究主体

健康長寿医療センターを良くする会

4．アンケート分析方法

単純集計・クロス集計

5．アンケート概要

　　1）調査主体

　　　(1)都庁職衛生局支部健康長寿分会等

　　　(2)自治労連

　　2）調査内容

　　　(1)健康長寿医療センター職員の労働実態アンケート

　　　　・職員が健康長寿医療センターに望むもの

　　　　・職員が健康長寿医療センターが独立行政法人化して変わったと思うこと

　　　(2)2018年自治体病院に働く職員の労働実態アンケート

---

³ 健康長寿医療センターホームページ及び健康長寿分会発行分会ニュースより抜粋

⁴ 2009年・医師及び研究員は健康長寿医療センター固有職員に転籍した。その他の職員は徐々に固有職員に入れ替えられ、2018年都職員約50名弱。2019年には都職員は約10名となった。(課長等管理職含む)

⁵ 健康長寿医療センターにおける「複合型成果主義給与体制」では個人の成績をABCDE評価され、給与に大きな差が生まれる。

3）　**調査方法**：無記名、アンケート用紙への自記入形式
　　　　　　　　　　　上記4の1）2）のアンケートを一緒に配布
　　4）　**調査期間**：２０１９年１０月～１１月
　　5）　**配布回収数**：アンケート配布可能な職員1100名に配布
　　　　　　　　　　　回収（有効数）数《５８６名》

第3節　アンケート分析結果及び考察

　今回は「健康長寿医療センター職員の労働実態アンケート」を中心に分析した結果と考察を述べる。

1．回答者の構成

　都職員は10％弱で、残りの90％超は法人の固有職員であった。

2．健康長寿医療センターが独立行政法人化になり変わったこと

　独法化前後の変化については、全体の 75.5%が「わからない」と回答しており、回答については相当の偏りがある。それを踏まえた上で、単純集計及び「看護師数等が増えたと回答した割合」と「減ったと回答した割合」という回答の差を見た。さらに、所属している部署で看護部・コメディカル・その他と分類して、それぞれの違いについて見た。

　全体の集計結果では、業務量については（**図6-1**）、「増えた」と回答した人は「減った」と回答した人より 56.3%多かった。

　看護師数については（**図 6-2**）「減った」と回答した人が「増えた」と回答した人より 49.4%多く、業務の負担増が見て取れる。

　給与については（**図 6-3**）「減った」と回答した人が 28.1%多く、職員は、業務の増加に見合った給与をもらっていないと感じていると思われる。

　「超過勤務が増えた」と、ほとんどの項目で看護師は、悪い方向に変化していると回答している。ただ、業務量については、増えた・減ったとも、他と変わりが無く、おそらく総業務量は変わらないが、部署の人数が減ったことのしわ寄せが、個人個人に降りかかっている可能性が示唆される。

　各項目の職種別の比較では（**図 6-4**）、独立行政法人化前後では「人が減った」「休暇が減った」「年休が減った」「夜勤が増えた」「超過勤務が増えた」と、ほとんどの項目で看護師は、悪い方向に変化していると回答している。

　ただ、業務量については、増えた・減ったとも、他と変わりが無く、おそらく総業務量は変わらないが、部署の人数が減ったことのしわ寄せが、個人個人に降りかかっている可能性が示唆される。

図6-1　業務量の変化

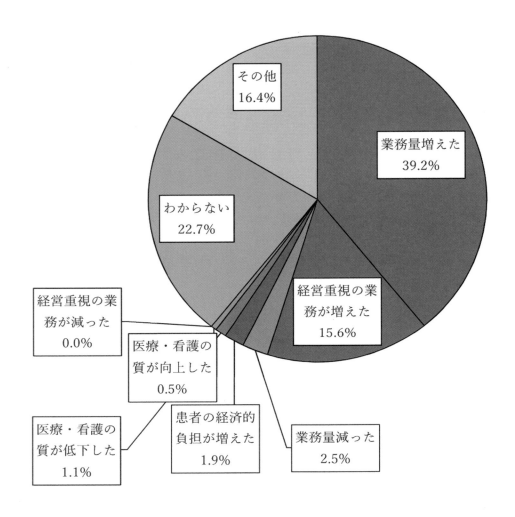

図6-2　職員数の変化

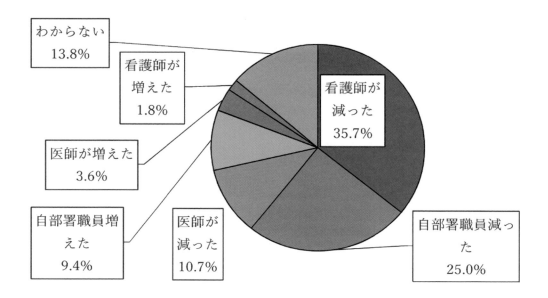

図6-3　給与の変化

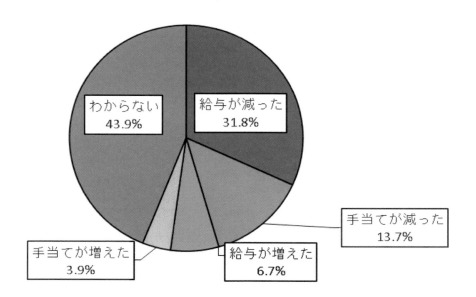

図6-4　各項目の職員数比較

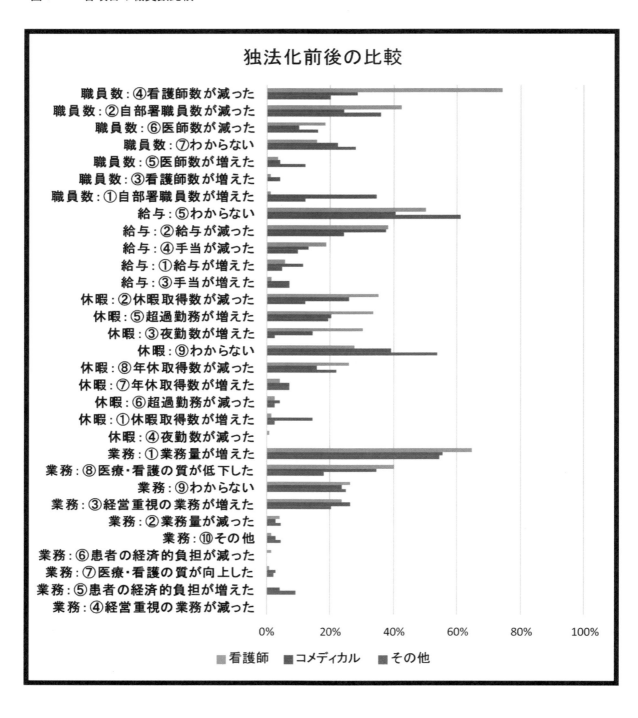

3. 職員が健康長寿医療センターに望むもの

　全体集計では（**図6-5**）、最も割合が高かったのは給与の増額で、83.3%と、6人中5人が給与の増額を希望していた。

　それに次いで多かったのが、職員の増員（62.7%）、住宅手当の支給（60.3%）、手当の増額（60.0%）で、ここまでが60%以上の職員が希望していた。給与・手当の増額については他の項目でも職員の大きな割合をしめていた。

　逆に、保育室の再開（17.0%）、教育・研修の充実（16.0%）、育児手当の増額（14.5%）、夜勤回数を4回以下（16時間夜勤）に（18.6%）、研究費の増額（7.2%）、経営重視の医療（4.3%）、患者の経済的負担の軽減（3.2%）といったところは希望者が20%未満だった。これらの項目を見ると、保育室や育児手当の恩恵はない場合や夜勤がない部署で有れば夜勤回数の要望はない、というように、一部にしか関係しない項目で要望が低かったと思われる。しかし、子育て支援拡大や休止中の保育室「再開」や夜勤回数4回以下の要望は職員の長年の強い希望である。

　職種別では（**図6-6**）、他と比べ看護師が多いのは「増員」「年休取得」「サービス残業減」「夜勤減少」「手当増額」「給与増額」といった項目で、勤務条件に希望が多いことがわかる。

　逆に「教育研修」「研究費」については、他と比べ看護師の希望が少ないが、これは「既に十分満たされている」のか「そういうことに時間を費やする余力が無いので希望しない」のかは、より詳細に調べる必要がある。

　これら給与手当への要望は、情報公開手続で入手した2019年2月に健康長寿医療センター自身が実施した「職員アンケート結果概要」でも「給与・手当が低いという不満」として如実に表れている（資料151〜154p参照のこと）。

　さらに、【全体を通じて給与が「高い」又は「やや高い」という回答はほぼ無かった。また看護師では「やや低い」「低い」の回答割合が他職種より高かった。

　また、全体を通じて「業務量の割りに低い」や手当回答が多かった。自由記載欄では、看護師の夜勤手当や、住宅手当についての意見が多かった】としている。

図6−5　センターに望むもの（複数回答「はい」の割合％）

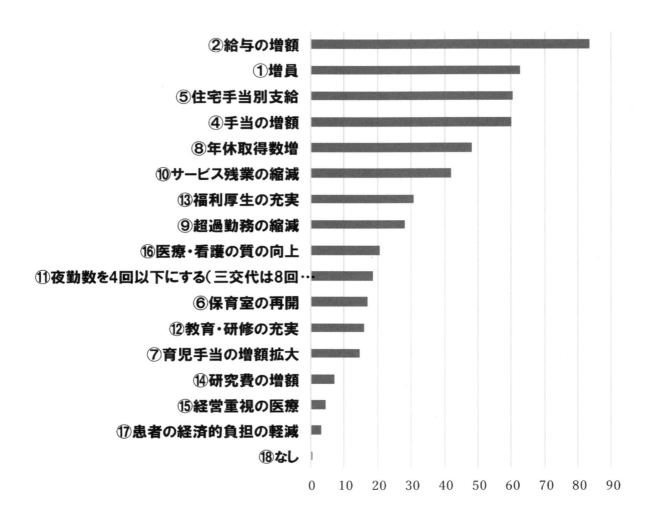

図6−6　センターに望むもの　職種別比較（複数回答「はい」の割合％）

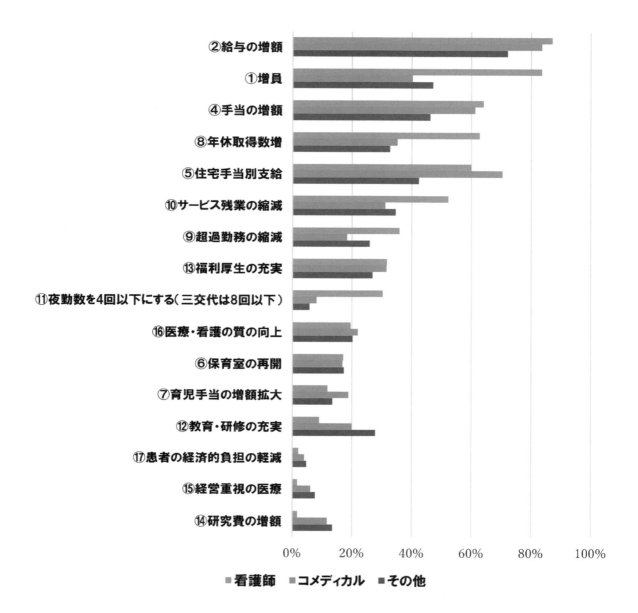

4．東京都職員と健康長寿医療センター職員の基本給与比較

　今回のアンケートでは、健康長寿医療センター独立行政法人化前後にかけて在職していない職員からの回答も多かった。

　健康長寿医療センター職員固有職員（以下固有職員）は東京都職員の給与と比べると、自らの給与が低くなったという情報をもとにアンケートに回答したと思われる。

　ここで東京都職員と固有職員の基本給与を比較した（**図6-7**）。

　入職当初は固有職員のほうが東京都職員より高いが、30歳代前半で逆転し、東京都職員が高くなり差が開いていく。固有職員は管理職に昇進しない限り給与カーブはフラットとなる。

　また、固有職員給与には住宅手当・地域手当が無く、年齢を重ねるとその差は大きくなることが明らかである。

　近年看護師への手当が一部増額されているが、職員が長年強く希望している住居手当や給与体制の改正はされず、問題の根本解決には至っていない。

　また、2015年に健康長寿医療センターへ東京都から派遣されていた都職員看護師（50歳代都歴30年）が転籍を考え、固有職員への給与の正式なシュミレーションをした。

　その場合、給与総額では、年間90万円のマイナスとなった。故に、子どもの学費や住宅ローンが払えないので転籍を諦めざるをえなかった。東京都からの派遣されていた看護師の多くは収入面から健康長寿医療センターへの転籍を諦め、東京都の他の病院等に戻った。

　健康長寿医療センターの看護の担い手であった中堅層以上の大多数が入れ替わったことは、病院全体への影響が少なからずあったと考える。

図6-7　東京都職員の給与と健康長寿職員の基本給与カーブ比較

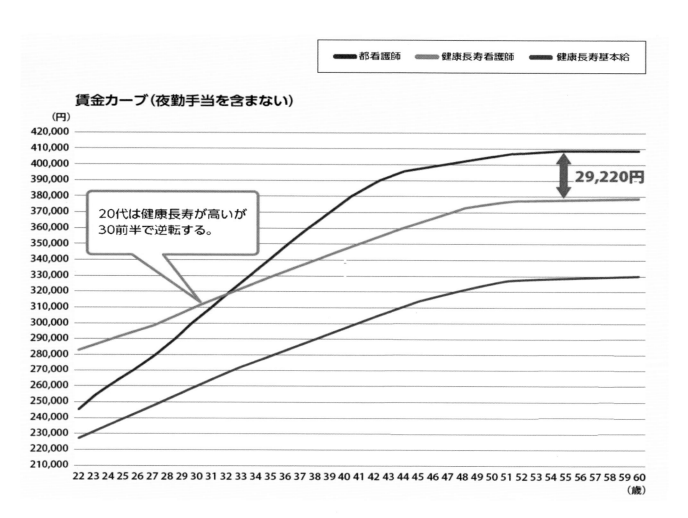

（出所）都立病院の充実を求める連絡会
　　　　『都民によりそう明日の都立病院・５つの提案』（2019年10月19日，16p）

5．低い与体系は職員の意欲低下や離職に繋がる可能性

　今回のアンケート結果から、看護師の給与や手当増額の要望が目立った。

　これらは、看護師の経験者採用者が増え、他病院との給与の比較や仕事量や残業の多さ等に対する不満もあると思われる。

　2011年厚生労働省資料からも看護師が離職せざるを得ない理由の中で「給与の不満・休暇がとれない・超過勤務が多い」を離職理由の上位に上げている。日本看護協会資料からも看護師の離職原因の大きな原因の一つは給与である。

　さらに看護師の全国平均離職率は年13％で、毎年新人や中途採用を行った人数以上が離職するので、常に欠員状態である。健康長寿医療センターでも同じ状況であり、さらに看護職員の若返りもあり産休育休者が増加した。見かけ上の看護職員定数は東京都時代より増加したが、事実上は欠員状態であり、今後給与の根本解決がされない限り、離職率は上がると思われる。

　「独立行政法人化の強みといわれる毎月の人員募集」を実施しても、低い給与レベルでは、応募人数低下にも繋がる可能性がある。病院現場職員の大半をなす看護職員の欠員は病院の存続にも関わる大きな問題である。

　また給与への満足度低下は職員のモチベーションを下げ、医療や看護の質低下にも繋がると考える。

　健康長寿医療センター職員の給与体系等は、その都度、健康長寿内の組合との交渉を経て、健康長寿の理事会が決定する。都職員が数十人派遣されていた平成30年度までは、東京都と同月数であった。しかし、今年度から東京都より年間0.05ヵ月下回った。

　本調査研究で行った「経営分析」からも「健康長寿医療センターの経営状態はけっして改善していない」現状を鑑みると、今後の賞与月数も下降すると思われる。

第4節　研究のまとめ

　これまで述べてきた調査分析結果をまとめると、以下のように健康長医療センター固有職員の厳しい労働環境が明らかとなった。

　　1　労働条件の悪化が続く「健康長寿医療センターが独立行政法人化して変わったこと」は、給与が減った、職員数が減った、経営重視の業務が増えた、超過勤務が増えた、休

暇取得が減った、自部署職員数が減った、という回答そうでないと思う回答よりかなり多かったことから、労働環境悪化の可能性がある。さらに医療・看護の質が下がったと感じる人が多い。これらは職員のモチベーション低下に繋がるなど大きな問題と言える。

2　給与を上げてほしい（83％）「健康長寿医療センター職員の望むもの」は、給与の増額が最も高く、83％、次いで・職員の増員、住宅手当の支給が60％以上で、これらは他の項目でもの大きな割合をしめていた。特に看護師は給与手当についての不満は、離職の大きな原因となり得る。

このような厳しい労働環境下でも健康長寿医療センターの職員は、高度で質の高い医療や看護また研究を実践するために、日々懸命に働いている。

・住民の期待は高い
　その結果、「住民アンケート結果」をみると、健康長寿医療センターや職員への期待や良い評価も多く寄せられている。
　また、高齢化が急速に進む現状で、健康長寿医療センターの果たすべき役割は益々重要となり、都民・住民等から期待も大きくなっている。これらの期待に応えるためにも、健康長寿医療センター職員の給与体系をはじめ労働環境の改善は今後の早急の課題である。

・労働組合活動で職場の改善を
　健康長寿医療センターが独立行政法人化される前から８７年間、都庁職元養育院や分会が労働条件交渉行い、独立行政法人化後も健康長寿分会が東京都と同じまたはそれ以上に、労働条件を保持できるように活動してきた。その結果もあり、給与体系以外は東京都並みの労働環境を保持している。今後も労働組合の交渉なくして、労働環境の改善はあり得ないであろう。
　さらに、健康長寿医療センター自身・職員・地域住民・組合が協力して大きな取り組み行うことで、労働環境悪化の根源である「東京都や国の医療改悪の現状」を打破し、職員の労働環境改善に繋がると考える。

第7章　未来編　健康長寿医療センター改革の途

　本研究会は、「健康長寿医療センターの過去・現在・未来調査研究会」という名称で取り組まれた。

　過去とは、「養育院」として歴史に登場してきたことから今の「健康長寿医療センター」にいたる歴史的な推移を踏まえた研究にするという意義が込められている。

　そして現在とは、「養育院」が「地方独立行政法人東京都健康長寿医療センター」に経営形態の変更を伴う大変化を受けて、その影響はどのようになっているのかを明らかにすること。実証的な地方独立行政法人の先行研究も見つからないこともあり、現状分析を科学的に行う意義を位置づけた。

　その結果については、第1章から第6章まで、それぞれのテーマに述べられている。

　未来編は、そうした歴史的経過、現状分析を踏まえて、これから健康長寿医療センターがどのように患者さんや職員にとって改革されていけばよいかを示すことが課題である。

　「健康長寿医療センターの過去・現在・未来調査研究会」の出発点では、２０１８年１２月２７日には、次のようなスローガンも掲げていた。

　　　養育院の復権と地域から世界へ向けた老人総合医療の拠点づくり

　このスローガンに込められた希望は、地方独立行政法人東京都健康長寿医療センターになって、養育院の時の良さが消えているとすれば、それを復権させること。

　さらには、高齢者のための総合医療の医療提供と研究機能を融合している特徴を発展させるために、地域に根ざすこと、世界との交流・発信へと日本を代表する拠点としての役割を発揮していくこと。それが未来編である。

　その未来編の導入として、これからの健康長寿医療センターをもっとよくするために、【提言】として掲げる。未完成の部分もあるが、具体的な事柄を提言することで、明日からでも改革に着手できることとして、心がけたつもりである。共感できることからでもよいので、これからの健康長寿医療センターの改善のために参考にしていだけると幸いである。

「健康長寿医療センターの過去・現在・未来調査研究会」からの【提言】

＜序言＞

　地方独立行政法人東京都健康長寿医療センター（以下、「健康長寿医療センター」）は、その前身、東京都老人医療センターとしての発足以来、長年にわたり地域の医療機関、医療従事者、福祉・介護関係者と連携し、わが国の高齢者医療における第一線の担い手として運営されてきた。また、高度先進医療と老化・老年病の研究・開発は国連をはじめとする諸外国の研究機関とも連携して推進し、老年医学の世界的研究機関としての役割を果たしている。

　これらの役割を引き続き堅持していくために、東京都からの運営交付金・補助金の削減を前提にした経営ではなく、また平均在院日数の短縮、病床利用率引き上げなどに拘泥することなく、都民に負担を転嫁することのない病院運営を目指し、救急部門から在宅復帰までを担う地域ケア拠点としての健康長寿医療センターにならなければならない。

　そのためには、地方独立行政法人から、東京都直営へと復活させることも重点課題として求めていく必要がある。

　＜ホップ＞＜ステップ＞＜ジャンプ＞の３つに分けて、提起する。

　それぞれを４つの主体に分けて、整理した。区分は、明瞭性のためである。

　　１　病院運営（経営）の課題―改革主体は、健康長寿医療センターの経営陣

　　２　行政（国・自治体）の課題―改革主体は、行政のそれぞれの所管

　　３　職場の課題―改革主体は、職場の管理職を含めた現場職員たち

　　４　地域住民・地域運動の課題―改革主体は、患者さん、家族、地域住民

＜ホップ＞

   1　病院運営（経営）の課題

   2　行政（国・自治体）の課題

   3　職場の課題

   4　地域住民・地域運動の課題

＜ステップ＞

   1　病院運営（経営）の課題

   2　行政（国・自治体）の課題

   3　職場の課題

   4　地域住民・地域運動の課題

＜ジャンプ＞

   1　病院運営（経営）の課題

   2　行政（国・自治体）の課題

   3　職場の課題

   4　地域住民・地域運動の課題

＜ホップ＞

1　病院運営（経営）の課題

・地域住民、都民の身近な医療機関として、日常診療に責任を持つと同時に、都民の保健、予防、リハビリテーション、福祉、環境、公害問題等への対応についても積極的な役割を果たすべきである。

・診療報酬の改悪により「リハビリ難民」が急増しているもとで、高齢者に対するリハビリテーション対応部門を抜本的に強化すべきである。

・単身高齢者、高齢者のみ世帯増加に対応し、緊急入院対応の入院病床を確保すべきである。

・患者に大きくかかわるシステムや組織等の変更にあたっては、そのつど、患者、都民にパブリックコメントを求めるべきである。

・日常的に療養等に必要な情報の提供に努めるとともに、患者からの診療情報提供の求めに誠実に応じ、診療情報の提供に際しては、医師の守秘義務を遵守し、患者の秘密と人権を守るべきである。

・職員は特殊な実情のある場合をのぞき、非正規、契約、期限付き、パートなどの不安定雇用は廃止して原則常勤職員とし、労働法規をはじめ関連法規に反しない雇用と生活可能な賃金を保障すべきである。

2　行政（国・自治体）の課題

・わが国における平均寿命の延伸が続く一方、国民の生活をとりまく経済、労働、環境などの条件は急激に悪化し、その結果、生活習慣病の増加、新たな心身の疾患の増加などにより、すべての世代に健康不安が増大している。こうした中で、公的医療機関として、日常の診療にとどまらず、広く高齢者を中心とする都民の疾病の予防から環境の改善に至

るまでその専門的知識、技術による幅広い対応に努め、これらの取り組みに対し東京都が安定的経費負担を恒常的に行うことを求めるべきである。。

・患者に大きくかかわるシステムや組織等の変更にあたっては、そのつど、患者、都民にパブリックコメントを求めるべきである。

・賃金や雇用体系を改善し、諸外国と比べて低い社会保障に対する事業主負担を引き上げ、大企業の内部留保を社会に還元させ、高薬価是正等をすれば、診療報酬引き上げ、社会保障拡充は可能であり、患者・利用者負担増はやめ、負担軽減を求めるべきである。

3　職場の課題

・疾患の治療、改善を重視すると同時に、常に患者の心身の状態、家族、生活条件、環境にも配慮し、全人的医療に努めるべきである。

・患者に対する職員の接遇、対応、待ち時間、院内設備等院内環境等が適切であるか、常に再点検し、日々改善に努めるべきである。

4　地域住民・地域運動の課題

・医療は患者と医師の信頼関係に基礎を置く共同の営みである。患者の立場を尊重し、患者が納得できる対話を基礎にして、患者自らが最良の選択を行えるよう、患者に必要な情報や専門的知識、患者にとって可能な技術、知識等を提供するべきである。そうしたことを、住民要望や地域医療活動として、日常的に要望していく課題がある。

・医師・歯科医師と患者・都民が手を携え、多くの患者団体や諸団体と連携し、医療保険制度や診療報酬の改善のための運動を支援すべきである。

＜ステップ＞

1　病院運営（経営）の課題

・認知症予防、発症、治療に対する都民の高い関心とニーズに応え、研究成果も含め、広範な課題に対応する相談窓口の開設、認知症介護についての知識、技術の普及にさらなる積極的な関与をすべきである。

・高齢者の災害対策、熱中症対策等のための対応部門を設置し、研究、相談、研修事業を行うべきである。

2　行政（国・自治体）の課題

・経済的にも格差が拡大し、医療を受けられない高齢者、都民の増加が深刻化しており、低所得層への医療を保障する見地から、無料低額診療を実施すべきである。

・医療を資本の利潤追求の対象に委ねることは許さない立場を堅持し、すべての国民に十分な医療・福祉を保障することは近代国家の責務であるとの見地に立ち、都民とともに社会保障を守り、拡充することに努めるべきである。

・誰もが安心して医療をうけられる医療制度を実現するため、保険で良い医療の充実・改善を通じて国民医療を守る。このことから、差額ベット、保険外徴収など混合医療の拡大は認めず、現に実施しているものについては廃止すべきである。

3　職場の課題

・患者や地域住民の信頼を失うような医療行為を厳に戒めるとともに、常に他の批判に耐える医療を心がけ、職員参加により医療内容の自己および相互検討を行うべきである。

4　地域住民・地域運動の課題

・診療報酬引き下げに反対し、医療や社会保障の民間営利企業への提供に反対し、患者が必要な医療を受けられるよう国、東京都に対し社会保障制度拡充を求めるべきである。

＜ジャンプ＞

1　病院運営（経営）の課題

・医療機器、福祉用具を利用する高齢者が増加していることに鑑み、これらの機器の常設展示センターを設置し、利用相談、試用貸し出し、利用訓練などを行うべきである。

・固有職員で対応可能な部門で業務委託している部門については、順次、委託業務を直営に転換すべきである。

2　行政（国・自治体）の課題

・地球的規模での環境破壊や核兵器の脅威など、世界的規模で人類の生存すら危ぶまれる状況が深刻化しているなかで。都民、国民の立場に立ってこれらに立ち向かう研究、提言等を積極的に行うべきである。

・患者、住民が最高の医学的成果を受けられるように常に医学・医術および周辺学術の自主的な研鑽と研究に努め、第一線医療・医学の創造、実践、発展をめざすべきである。

・科学技術の急速な発達は人類に多くの恩恵をもたらしてきたが、その一方では生態系の破壊など人類の生存そのものを脅かしている。特に人類や地球の未来に影響を与えかねない先端技術に対しては、その動向を監視し、積極的に発言するべきである。

・人命を守る医師はいかなる戦争をも容認しない。歴史の教訓に学び、憲法の理念を体して平和を脅かす動きに反対し、核戦争の防止と核兵器廃絶が現代に生きる医師の社会的責任であることを確認するべきである。

3　職場の課題

・医療専門職の「幅広い知識と技術を身につけたい」との要求に応え、日常診療を向上させるための研究会や、定例研究会、学術研究会を開催し、地域医療の発展に貢献すべきである。

・業務委託事業者との委託契約にあたっては、雇用労働者に対する賃金・労働条件が諸法規、社会的水準に照らし適正なものであることを委託契約の要件とするとともに、適時、報告を求めることとするべきである。

4　地域住民・地域運動の課題

・地域医療構想による病床再編・削減の方針撤回、介護療養病床及び 25 対 1 医療療養病床の廃止撤回を求めるべきである。

資　料　編

資料1　健康長寿医療センターの損益計算書データ

健康長寿医療センター	H21年度 2009年度	H22年度 2010年度	H23年度 2011年度	H24年度 2012年度	H25年度 2013年度	H26年度 2014年度	H27年度 2015年度	H28年度 2016年度	H29年度 2017年度
総収益	15,161,959	15,779,735	15,296,246	16,142,008	18,689,409	16,665,890	17,827,433	18,861,646	19,915,282
1 営業収益	12,844,371	13,495,972	12,999,010	13,700,255	16,231,029	14,150,215	15,295,435	16,112,657	16,281,834
(1) 入院収益	7,182,305	7,778,523	7,964,812	8,486,748	8,264,054	8,657,839	9,480,484	9,666,866	9,767,419
(2) 外来収益	2,007,814	2,122,648	2,253,566	2,366,004	2,160,598	2,313,989	2,569,080	2,682,557	2,891,813
診療収入計	9,190,119	9,901,171	10,218,378	10,852,752	10,424,652	10,971,828	12,049,564	12,349,423	12,659,232
(3) 運営費負担等収益	2,537,148	2,972,156	2,369,574	2,397,254	5,090,930	2,368,162	2,520,165	2,852,670	2,802,900
(4) その他医業収益	1,117,104	622,645	411,058	450,249	715,447	810,225	725,706	910,564	819,702
2 営業外収益	2,317,588	2,282,634	2,296,741	2,440,800	2,455,012	2,511,730	2,531,249	2,748,989	2,823,062
(うち運営費負担金等)	1,935,021	1,958,806	1,856,200	2,001,854	1,924,965	1,994,445	1,964,943	1,990,729	1,980,170
(うち補助金等収益)	9,445	49,630	29,073	34,168	26,984	12,967	24,407	26,000	53,136
3 臨時利益	0	1,129	495	953	3,368	3,945	749	0	810,386
(うち運営費負担金等)									810,078
総費用	13,521,958	14,446,201	14,493,537	15,277,338	18,256,398	17,340,294	18,328,532	18,947,882	19,846,975
1 営業費用	11,932,817	12,766,979	12,812,778	13,391,907	15,418,451	15,323,563	16,099,530	16,581,031	17,180,509
(1) 職員給与費	6,236,312	6,507,190	6,518,380	6,948,857	7,315,973	7,544,354	7,782,576	7,985,330	8,367,393
(2) 材料費	2,684,029	2,780,220	2,912,314	3,014,689	2,748,155	2,964,093	3,436,255	3,742,101	3,873,257
(うち薬品費)	-	-	-	-	1,009,326	1,132,321	657,515	756,615	1,485,346
(うち薬品費以外の医療材料費)	-	-	-	-	1,632,022	1,713,637	2,654,916	2,851,397	2,252,750
(3) 減価償却費	461,589	516,834	514,965	478,161	1,738,016	1,847,467	1,852,633	1,818,845	1,859,598
(4) 経費					3,553,166	2,899,391	2,970,371	2,967,146	3,014,929
(うち委託料)	1,349,045	1,494,556	1,461,763	1,506,529	1,585,468	1,576,198	1,399,503	1,429,706	1,420,670
(5) 研究研修費	47,151	69,759	66,726	66,941	63,141	68,258	57,670	67,606	65,332
(6) 資産減耗費	-	-	-	-		3	25		
2 営業外費用	1,588,776	1,674,750	1,668,927	1,722,007	1,947,720	1,955,084	2,070,603	2,363,353	2,455,784
(うち支払利息)									
3 臨時損失	365	4,472	11,832	163,424	890,227	61,647	158,399	3,498	210,682
損益　経常損益	1,640,366	1,336,877	814,046	1,027,141	1,319,870	▲616,702	▲343,449	▲82,738	▲531,397
損益　純損益	1,640,001	1,333,534	802,709	864,670	433,011	▲674,404	▲501,099	▲86,236	68,307
経常収支比率	112.1	109.3	105.6	106.8	107.6	96.4	98.1	99.6	97.3
営業収支比率	107.6	105.7	101.5	102.3	105.3	92.3	95.0	97.2	94.8
運営費負担金等対経常収益比率	29.5	31.3	27.6	27.3	37.5	26.2	25.2	25.7	25.0
運営費負担金等対営業収益比率	34.8	36.5	32.5	32.1	43.2	30.8	29.3	30.1	29.4
運営費負担金等対総収益比率	29.5	31.2	27.6	27.3	37.5	26.2	25.2	25.7	28.1
実質収益対経常費用比率	79.1	75.1	76.4	77.7	67.2	71.2	73.4	74.0	72.9

運営費負担金等の状況	H21年度 2009年度	H22年度 2010年度	H23年度 2011年度	H24年度 2012年度	H25年度 2013年度	H26年度 2014年度	H27年度 2015年度	H28年度 2016年度	H29年度 2017年度
収益的収入					7,015,895	4,362,607	4,485,108	4,843,399	5,593,148
資本的収入					2,651,000				
計					9,666,895	4,362,607	4,485,108	4,843,399	5,593,148

2009～2012年度は「地方公営企業年鑑」各年度版、2013年度以降は「病院決算カード」各年度版より作成

資料2　健康長寿医療センターの貸借対照表データ

健康長寿医療センター	H25年度 2013年度	H26年度 2014年度	H27年度 2015年度	H28年度 2016年度
資産合計	40,216,352	38,800,834	38,485,932	37,523,267
1　固定資産	34,445,099	32,294,088	29,954,025	28,482,995
（1）有形固定資産	33,539,399	31,543,309	29,382,982	27,927,448
（2）無形固定資産	827,037	683,292	510,196	502,981
（3）投資その他の資産	78,663	67,487	60,847	52,566
2　流動資産	5,771,253	6,506,746	8,531,907	9,040,272
（1）現金及び預金	3,530,368	4,290,644	6,225,184	6,748,716
（2）未収金	1,987,299	2,013,618	2,138,272	2,102,693
（3）たな卸投資	236,959	182,456	148,350	165,563
（4）前払費用	18,207	20,831	18,465	23,458
（5）貸倒引当金	2,307	803	4,832	8,781
負債合計	21,861,774	21,120,658	21,306,855	20,315,992
1　固定負債	18,104,510	17,433,527	16,662,776	16,036,414
（1）資産見返負債	93,526	103,891	89,055	76,222
（2）長期借入金	16,182,232	15,423,352	14,665,522	13,925,099
（3）移行前地方債償還債務				
（4）引当金	1,209,806	1,334,852	1,387,432	1,567,719
2　流動負債	3,757,264	3,687,131	4,644,079	4,279,578
（1）短期借入金	758,881	758,881	757,829	757,693
（2）未払金及び未払費用	1,221,755	1,099,630	2,064,991	1,804,768
資本合計	18,354,578	17,680,176	17,179,077	17,207,275
1　資本金	9,410,099	9,410,099	9,410,099	9,410,099
（1）設立団体出資金	9,410,099	9,410,099	9,410,099	9,410,099
（2）その他地方公共団体出資金				
2　剰余金	8,944,479	8,270,077	7,768,978	7,797,176
（1）資本剰余金	8,268,389	8,268,389	8,268,389	8,382,822
（2）損益外減価償却累計額				
（3）利益剰余金	676,090	1,688	-499,411	-585,646
負債・資本合計	40,216,352	38,800,834	38,485,932	37,523,267
不良債務	-	-	-	-
実質資金不足額	-	-	-	-
資本不足額	-	-	-	-

資料3 健康長寿医療センターの運営費負担・運営費交付金の内訳と推移（2013～2016年度）

		H25年度 2013年度 営業収益	営業外収益	資本収入負担金	合計	H26年度 2014年度 営業収益	営業外収益	合計	H27年度 2015年度 営業収益	営業外収益	合計	H28年度 2016年度 営業収益	営業外収益	合計
1 救急医療	基準額	295,450			295,450	296,279		296,279	305,838		305,838	333,453		333,453
	実負担（交付）額	295,450			295,450	296,279		296,279	305,838		305,838	333,453		333,453
2 保健衛生行政	基準額	112,162			112,162	112,494		112,494	118,277		118,277	130,802		130,802
	実負担（交付）額	112,162			112,162	112,494		112,494	118,277		118,277	130,802		130,802
3 看護師養成所	基準額													
	実負担（交付）額													
その他														
小計	基準額	407,612			407,612	408,773		408,773						
	実負担（交付）額	407,612			407,612	408,773		408,773						
4 へき地医療	基準額													
	実負担（交付）額													
5 うち退院期医療／うちシステム運営費 不採算地区病院	基準額													
	実負担（交付）額													
6 付属診療所	基準額													
	実負担（交付）額													
7 結核医療	基準額													
	実負担（交付）額													
8 精神医療	基準額	189,000			189,000	189,635		189,635	200,110		200,110	220,389		220,389
	実負担（交付）額	189,000			189,000	189,635		189,635	200,110		200,110	220,389		220,389
9 感染症医療	基準額													
	実負担（交付）額													
10 リハビリテーション医療	基準額	253,317			253,317	253,954		253,954	260,003		260,003	287,926		287,926
	実負担（交付）額	253,317			253,317	253,954		253,954	260,003		260,003	287,926		287,926
11 小児医療	基準額													
	実負担（交付）額													
12 高度医療	基準額	1,461,718			1,461,718	1,469,284		1,469,284	1,587,155		1,587,155	1,832,255		1,832,255
	実負担（交付）額	1,461,718			1,461,718	1,469,284		1,469,284	1,587,155		1,587,155	1,832,255		1,832,255
うち周産期医療	基準額													
	実負担（交付）額													
13 建設改良	基準額													
	実負担（交付）額													
ア 建設改良	基準額													
	実負担（交付）額													
うち高度医療分	基準額													
	実負担（交付）額													

第1項第1号
第1項第2号
運営費負担金（法第85条）

項目		基準（交付）額						実負担額
ｲ 元金償還	基準（交付）額							
	実負担額							
うち高度医療分	基準（交付）額							
	実負担額							
ｳ 支払利息	基準（交付）額							
	実負担額							
うち高度医療分	基準（交付）額							
	実負担額							
その他	基準（交付）額	46,516	46,516	46,516				
	実負担額							
小計	基準（交付）額	1,904,035	1,912,873					
	実負担額	1,950,551	1,959,389					
14 院内保育所	基準（交付）額							
	実負担額							
15 研究研修費	基準（交付）額	47,845	47,845					
	実負担額	47,845	47,845					
うち保健・医療・福祉共同研修経費	基準（交付）額							
	実負担額							
16 医師確保対策	基準（交付）額							
	実負担額							
17 公立病院改革推進経費	基準（交付）額							
	実負担額							
18 共済追加負担金経費	基準（交付）額							
	実負担額							
19 基礎年金拠出金負担費	基準（交付）額							
	実負担額							
20 災害復旧費（建設改良に係るもの）	基準（交付）額							
	実負担額							
21 災害復旧費（建設改良以外に係るもの）	基準（交付）額							
	実負担額							
22 児童手当	基準（交付）額							
	実負担額							
23 その他	基準（交付）額	2,732,767	2,651,000	2,311,647	7,308,732	1,994,445	2,013,725	1,990,729
	実負担額			0	0	0	48,782	0
小計	基準（交付）額	2,311,647	2,651,000	2,321,646	7,308,732	1,994,445	2,471,383	2,852,670
	実負担額							
合計 基準額（交付）		5,090,930	2,651,000	9,620,379		4,362,607	4,485,108	2,852,670
合計 実負担額		2,732,767	1,924,965	2,368,162	1,994,445	2,520,165	1,964,943	1,990,729

（総務省「地方公営企業決算状況調査（各年度版）」より作成）

注1) 2015年度（H27年度）以降の表には運営費負担金と運営費交付金の運用例はなし。

注2) 2015年度（H28年度）以降の表には「ｲ」の欄には記載なし（斜線部）。

注3) 法第42条及び法第85条は地方独立行政法人法の規定による。条文は以下の通り。

第42条 設立団体は、地方独立行政法人に対し、その業務の財源に充てるために必要な金額の全部又は一部に相当する金額を交付することができる。
2 地方独立行政法人は、その業務の運営に当たっては、前項の規定による交付金その他その他の物の質量な財源を財源で賄われるものであることに留意し、定款並びに認可中期計画に従って適切かつ効率的に使用するよう努めなければならない。

第85条 公営企業型地方独立行政法人の事業の経費のうち、次に掲げるものは、設立団体が負担するものとする。
一 その性質上当該公営企業型地方独立行政法人の事業の経営に伴う収入をもって充てることが適当でない経費
二 当該公営企業型地方独立行政法人の性質上能率的な経営を行ってもなおその事業の経営に伴う収入のみをもって充てることが客観的に困難であると認められる経費

資料4-1 病院決算カード

病院事業決算状況（地方独立行政法人）（29年度）

都道府県名	東京都
法 人 名	地方独立行政法人東京都健康長寿医療センター
病 院 名	地方独立行政法人東京都健康長寿医療センター

施設及び業務機能概況等

病院区分	一般病院	特殊診療機能	特
建物面積	61,619 ㎡	不採算地区病院	非該当
診療科目数	30	指定病院の状況	救
DPC対象病院	対象	看護配置	7:1
		経営形態	直営

※特殊診療機能欄
ド…人間ドック 透…人工透析 I…ICU・CCU 未…NICU・未熟児室 訓…運動機能訓練室 ガ…ガン（放射線） 診療
救…救急告示病院 臨…臨床研修病院 が…がん診療連携拠点病院 へ…へき地医療拠点病院 災…災害拠点病院
他…地域医療支援病院 特…特定機能病院 輸…病院群輪番制病院
※指定病院の状況欄

損益計算書（千円・%）

区　分	決算額	計算額	費用営業収益 全国平均	新収益平均
総 収 益	19,915,282	19,915,282		
1 経 常 収 益	19,104,896	16,281,834		
(1) 入 院 収 益	9,767,419	2,891,813	51.4	48.1
(2) 外 来 収 益	2,659,232		23.8	24.5
診療収入等収入収益	2,802,900		9.1	12.4
(3) 運営費負担金等収益	819,702		13.8	11.8
(4) そ の 他	2,823,062		11.4	8.2
(2) 経常費負担金収益	1,980,170		8.7	8.7
(うち運営費負担金等）	53,136			
(3) 臨 時 収 益	810,386			
(うち運営費補助金等）	810,078			
2 費 用	19,846,975			
総 費 用	19,636,293			
1 経 常 費 用	17,180,509			
(1) 給 与 費	8,367,393		51.4	44.3
(2) 材 料 費	3,873,257		23.8	28.1
(うち薬品費）	1,485,346		9.1	13.9
(うち薬品費以外の医薬材料費）	2,252,750		13.8	14.1
(3) 減 価 償 却 費	1,859,598		11.4	8.1
(4) 経 費	3,014,929		18.5	15.6
(うち委託料）	1,420,670		8.7	8.4
(5) 研究研修費	65,332			
(6) 資産減耗費				
(2) 営業外費用	2,455,784			
(3) 臨 時 費 用	210,682		1.0	0.9
純 損 益	-531,397			
経 常 損 益	68,307			
営業収支比率	94.8		100.5	101.3
経常収支比率	97.3		102.1	103.5
運営費負担金等対経常収益比率	25.0		11.0	8.3
運営費負担金等対営業収益比率	29.4		11.2	8.5
実質収支対経常総収益比率	28.1		11.1	
	72.9		89.7	93.3

貸借対照表（千円・%）

区　分	決算額
資 産	
1 固 定 資 産	41,869,172
(1) 有形固定資産	32,138,884
(2) 無形固定資産	31,804,539
(3) 投資その他の資産	287,545
2 流 動 資 産	46,800
(1) 現金及び預金	9,730,288
(2) 未 収 金	7,287,685
(3) たな卸資産	2,245,492
(4) 投 資 等	174,837
(5) 前払当費金	21,000
引当金（△）	4,361
負 債	
1 固 定 負 債	19,621,183
(1) 企 業 債	16,144,592
(2) 長期地方債	68,455
(3) 移行前地方債務	13,546,556
(4) 引 当 金	1,718,936
2 流 動 負 債	3,476,591
(1) 短期借入金	844,174
(2) 未払金及び未払費用	1,657,353
負 債 合 計	22,247,989
資 本	
1 資 本 金	14,330,099
(1) 設立団体出資金	14,330,099
(2) その他地方公共団体出資金	
2 剰 余 金	7,917,890
(1) 資本剰余金	8,435,229
(2) 利益剰余金繰越額（△）	
(3) 利益剰余金残高	-517,339
負債資本合計	41,869,172
不良債務	
実質資金不足額	
備考	

収支の状況

修正営業収支比率（%）	78.5
修正営業収支金額（千円）	13,478,934

区　分	運営費負担金等額（千円）
運営費負担金等	5,593,148
収益的収入	5,593,148
資本的収入	－

不良債務額・不良債務比率の過去3カ年推移

年度	不良債務額（千円）	不良債務比率（%）
29年度	－	－
28年度	－	－
27年度	－	－

平均在任・院日数（%・日）

区 分	病床数	29年度	28年度	27年度
病床利用率 一般	520	86.2	87.6	86.4
結核				
精神	30	81.6	83.9	81.8
感染症				
計	550	85.9	87.4	86.2
平均在院日数（一般病床のみ）		10.9	11.4	11.7

備考：「類似平均」については経営規模別区分（一般病院の5500床以上、同4000床以上5500床未満、同300床以上5000床未満、同2000床以上3000床未満、同1000床以上2000床未満、同500床以上1000床未満、同300床以上500床未満、同100床以上300床未満、同50床未満、同50床以上100床未満、同300床以上400床未満）は病院事業単位で算出している。
「不良債務額」、「不良債務比率」は病院事業単位で算出している。

資料4-2

病院経営比較表（地方独立行政法人）（29年度）

施設及び業務の概況

都道府県名	東京都
法人名	地方独立行政法人東京都健康長寿医療センター
病院名	地方独立行政法人東京都健康長寿医療センター

施設の概況

施設区分	一般病院
建物面積	61,619 ㎡
診療科数	30
DPC対象病院	対象

業務の概況

特殊診療機能	透1 訓 万
不採算地区病院	非該当
指定病院等	救災当
看護配置	7:1
経営形態	直営

（特殊診療機能欄）ド…人間ドック 透…人工透析 救…救急告示病院 臨…臨床研修病院 地…地域医療支援病院 特…特定機能病院 輪…輪番制病院 感…感染症指定病院 が…がん診療連携拠点病院 災…災害拠点病院 訓…運動機能訓練室 ＩＣＵ・ＣＣＵ 未…未ＮＩＣＵ 未災児室
※特殊診療機能欄 ※指定病院等の状況欄 ※特定機能病院、地域医療支援病院、災害拠点病院

病床利用率 （%・日）

病床区分	病床数	平成29年度	全国平均	類似平均	平成28年度	平成27年度	対前年度
一般	520	86.2	82.0	87.6	87.8	87.6	86.4
療養	-	-	76.7	-	36.8	-	-
結核	-	-	48.0	-	-	-	-
精神	30	81.6	74.5	81.8	42.8	83.9	81.8
感染症	-	-	11.6	-	21.3	-	-
計	550	85.9	80.3	85.3	85.3	87.4	86.2
平均在院日数（一般床のみ）		10.9	14.8	11.5	11.4	11.7

損益 （千円・%）

区分	平成29年度 当該病院	対前年度増減率	平成28年度	平成27年度	対前年度増減率
総収益	19,915,282	5.6	18,861,646	17,827,433	5.8
1 営業収益	16,281,834	1.1	16,112,657	15,295,435	5.3
(1) 入院収益	9,767,419	1.0	9,666,866	9,480,484	2.0
(2) 外来収益	2,891,813	7.8	2,682,557	2,569,080	4.4
(3) 診療収益計	12,659,232	2.5	12,349,423	12,049,564	2.5
運営費負担金等収入	2,802,900	-1.7	2,852,670	2,520,165	13.2
その他医業収入	819,702	-10.0	910,564	725,706	25.5
2 営業外収益	2,823,062	-2.7	2,748,989	2,531,249	8.6
（うち運営費負担金等）	1,980,170	-0.5	1,990,729	1,964,943	1.3
（うち運営費補助金等収入）	53,135	104.4	26,000	24,407	6.5
3 臨時収益	810,386	4.7	810,078	749	-
総費用	19,846,975	3.6	18,947,882	18,328,532	3.4
1 営業費用	17,180,509	4.8	16,581,031	16,099,530	3.0
(1) 職員給与費	8,367,393	3.5	7,985,330	7,782,576	2.6
(2) 材料費	3,873,257	3.5	3,742,101	3,436,255	8.9
（うち薬品費（薬剤科費除く））	1,485,346	-21.0	756,615	657,515	15.1
(3) 減価償却費	1,859,598	-2.2	1,818,845	1,852,633	7.4
(4) 経費	3,014,929	1.6	2,967,146	2,970,371	-1.8
(5) 研究研修費	1,420,670	-0.6	1,429,706	1,399,503	-0.1
2 営業外費用	65,332	-3.4	67,606	57,670	2.2
（うち支払利息）	2,455,784	3.9	2,363,353	2,070,603	17.2
3 臨時損失	210,682	5922.9	3,498	158,399	-88.0
経常損益	-531,397		-82,738	-343,449	14.1
純損益	68,307		-86,236	-501,099	-97.8

経営指標 （%）

区分	当該病院	全国平均	類似平均
経常収支比率	97.3	100.5	101.3 / 103.5
医業収支比率	94.8	102.1	103.5
運営費負担金等対経常収益比率	25.0	11.2	8.5
運営費負担金等対医業収益比率	29.4	11.1	8.5
災害収支対経常費用比率	72.9	89.7	93.3

職員数・平均給与月額・平均年齢

区分	職員数（人） 当該病院	平均給与月額（円） 当該病院	全国平均	類似平均	平均年齢（歳） 全国平均	類似平均	当該病院
医師	126	1,151,194	1,336,753	1,481,500	44.6	44.4	44.1
看護師	469	487,500	481,563	466,786	37.2	35.0	36.5
准看護師	81	462,990	466,786	478,043	51.0		55.0
医療技術員	109	454,038	478,043	483,449	41.7	38.1	37.5
その他職員	71	579,471	426,560	426,560	36.8	37.8	42.9
全職員	856	584,265	589,267	589,267	38.6	37.1	38.2

一日平均患者数・外来入院患者比率 （人・%）

区分	入院	外来	外来入院患者比率
29 全国平均	473	814	138.3
類似平均	287	631	149.8
対前年度伸率	549	1,303	160.3
28 全国平均	481	815	136.1
対前年度伸率	-1.7	-0.1	
27 類似平均	474	802	135.8
対前年度伸率	1.5	1.6	

患者1人1日当たり診療収入 （円・%）

区分	入院	外来
29 全国平均	56,628	12,120
類似平均	62,160	17,097
対前年度伸率	72,647	19,447
28 全国平均	55,081	11,229
対前年度伸率	-2.8 / -0.8	3.0
27 類似平均	54,639	10,900

職員1人1日当たり診療収入 （円・%）

区分	医師	看護部門
29 全国平均	279,700	73,951
類似平均	276,082	69,184
対前年度伸率	289,702	80,778
28 全国平均	277,328	75,354
対前年度伸率	0.9 / -2.6	-1.9
27 類似平均	284,591	72,080

薬品使用効率

区分	全国平均	類似平均
投薬	59.8	103.3
注射	58.4	97.1
計	58.7	96.5

職員1人1日当たり患者数 （人）

区分	当該	全国平均	類似平均
医師 入院	3.8	5.3	2.8
外来	3.1	4.5	
看護部門 入院	1.0	0.8	
外来	1.4	1.2	

100床当たり職員数 （人）

区分	当該	全国平均	類似平均
医師	35.9	24.1	28.5
看護部門	96.8	99.5	106.2
薬剤部門	6.4	5.0	5.5
事務部門	22.8	16.3	17.2
給食部門	5.2	4.7	5.4
放射線部門	8.1	6.2	7.2
臨床検査部門	15.8	14.5	13.7
全職員	193.2	172.0	185.4

運営費負担金等の状況 （千円）

区分	運営費負担金等
収益的収入	5,593,148
資本的収入	
計	5,593,148

不良債務額・不良債務比率の過去3ヵ年推移

年度	不良債務額（千円）	不良債務比率（%）
29年度	-	-
28年度	-	-
27年度	-	-

備考：「類似平均」については経営規模別区分（一般病院の500床以上、同400床以上500床未満、同300床以上400床未満、同200床以上300床未満、同100床以上200床未満、同50床以上100床未満、結核病院、精神科病院）ごとに算出している。「不良債務額」・「不良債務比率」は病院事業単位で算出している。

職員の待遇等に関する意見等

年代	性別	居住	意見等
60代	女	板橋	ちらっと見たところ、薬剤師さんの非常勤募集ということを見つけたように思います。そうなのでしょうか？その他にも様々な非常勤化によって、働く人の条件が悪くなってはいないでしょうか？母のつきそいで病院に行きますと皆さん一生懸命対応して下さっていると感じます。都政がそうした誠実な職員を踏み台にして運勢しているのではないでしょうか？いろいろ事情を教えていただきたいと思います。
60代	女	板橋	近くに長寿医療センターがあり非常に心強く感じています。職員の皆様の待遇がこれ以上悪くならないよう願います。東京都の補助金削減は大反対です。大山にある建物を見ると安心できます。
70代以上	男	板橋	患者数に対する診療医が少なく、対応をより綿密になるよう増やしてほしい。診療設備が整っており十分診察に役立ててほしい。
50代	女	板橋	委託制度が広がり、働きにくくなっていないか、院内連携は大丈夫が気になります。
60代	女	板橋	先生や看護師さん、スタッフの方々、とても丁寧でしっかりした対応です。料金も良心的で助かります。初代渋沢先生の意志を受け継ぐ素晴らしい病院であり続けて下さい。予約の電話がなかなかつながらなくて困っています。
70代以上	女	豊島	医療・看護に携わる職員の長時間労働が改善されなくなります。ならびに職員給与も。「地域に根ざす高度な医療・看護と日本をリードする研究所を守りたい」という皆様に賛同します。職員の皆様の健康があってこそ。患者に耳を傾け最上の医療を望みます。
70代以上	男	板橋	医師の交代が激しい。信頼感が薄くなる。
70代以上	女	北	救急の時も診察して下さって本つにありがたく思います。病院職員一同、みな親切に対応して下さっています。都立並の給与を支給していただくようお願い致します。
70代以上	男	板橋	地方独立行政法人になり医者と看護師さんの質がどうなるのか心配。都の看護師と法人独自採用の看護師さんとの給与の違いが00万円位あり、ベテラン看護師が募集しても集まらないと聞いています。都立病院の役割があり、都立病院を守ってほしい。医者と患者のコミュニケーションが不足で、診察の際、もう少し会話ができないかと思っています。医者も多忙とは思うが。8時に血液を採り、診察は9時30分頃で、診察は3分です（本当です）。
70代以上	女	豊島	医師・看護師など個人の熱意やモチベーションでは負い切れない構造的・財政的問題があったように思います。例えば待ち時間の長さ、予約時間の後ズ

			レ。多忙時間には担当患者をさばききれないなどです。人員増が必要ではないでしょうか。
70代以上	女	板橋	今から8〜9年間に一週間ほど入院しました。その時に感じたことは医療職員（人員）の足りなさです。特に夜間はギリギリの状態で勤務されているようでした。人員の充実した配置こそ医療の基本です。私たちが安心、信頼して利用できるよう、行政法人化、予算の削減には強く反対致します。
70代以上	女	板橋	高齢化社会にとって重要な課題です。充実を望みます。何より、従事する労働者の働く条件が良くないと。

患者負担に関する意見等

50代	女	豊島	お金がるかないかで医療の選択肢がこれ以上狭まるのはつらい。差額ベッド料のある部屋しか空いていないのでそこしか入院できないと言われた。税金を払っていてもこうなるのですね。安心してかかりたいです。
70代以上	女	板橋	伯父、伯母をはじめ、養育院時代より長くお世話になり、私も都立病院時代に通院しました。最近入院した友人は、部屋代が高額だったと嘆いています。高齢化を迎える時代です。146年の歴史に重ね、都民が安心してかかれる病院を望みます。
60代	女	板橋	がんの緩和ケア病棟（最上階）に入院した友人の見舞いに行きました。静かな病棟で整然としていました。個室でしたが部屋代が高く驚きました。都心に比べれば安いのですが、都立病院でなくなってから至るところに負担が増しています。
60代	女	板橋	貴重な老人専門で大切なところなのでお金がかからないで続行させてほしい。独法から元に戻してください。
70代以上	男	練馬	差額ベッド、入院時保証金廃止を求めます。
50代	女	板橋	保証金10万円は高すぎるのでせめて5万円にしてほしい。
60代	女	板橋	保証金はやめて下さい。職員の労働条件は都立病院並みにするのが当然。高齢者医療を充実させて下さい。

待ち時間などに関する意見等

70代以上	男	板橋	12/3、11：00に予約（受診）してありましたが、受診したのは1時間30分過ぎの12：30でした。その日は患者数が多かったのかもしれません。
70代以上	女	板橋	行くようになってまだ5、6年なのでよく分かりませんが、親切で感じが良い病院だと思っております。ただ混んでいて、待ち時間がとても長いです。

70代以上	男	豊島	大塚病院、長寿センターともかかったことがありますが、両方とも診察（初診も再診も）の待ち時間が相当長く改善すべきです。
60代	女	板橋	近所の人から、認知症の検査を貴院でしてもらうのに半年待ちと聞いて驚きました。1度乳がんの検査で行った時、会計もスムーズにできて良かったと思いました。頑張って下さい。
60代	男	板橋	なかなか診察を受けられない。検査までに月数がかかりすぎる。それでも板橋区民は早くしてもらえることは良かったと思う。
50代	女	板橋	待ち時間が長い。初めての予約がすごく待たされる。2～3ヵ月後。その間に悪くなる。
70代以上	女	豊島	予約が取りにくい。6か月待ち等、病人にとって非常に心配が多い。理由は医師不足とのこと。考慮して欲しい。
70代以上	男	板橋	予約時間が活かされていない。処理上の問題なのか。
70代以上	女	板橋	予約とか予約変更の電話がなかなかつながらない時があります。困って交換台に直接電話したらすぐにつながりました。

民営化・センター全体に関する意見等

70代以上	男	板橋	民営化が進んで収益を追求あまり、医療やケアのレベルが低下することが心配です。必要な金額の補助金は確保して更なる医療の向上を目指してください。
70代以上	女	豊島	長寿になってからはかからなかった。老人医療時代よりきれいになって患者の流れが機能的になったように聞く。昔は相当混んだ。都立は技術も老人専門なので医師も対応にやさしい。とかく独立行政法人は評判は良くない。都立であるということは安心感があり冷静でいられる。都立は残すべき。行政法人化反対。
70代以上	女	豊島	高齢なので個人病院また他の病院にも行っていますが、清潔で大変親切に行き届いていると思いますが、完全予約制で良いところもありますが、急な時に不便を感じます。小池知事の効率主義（小泉時代の悪い主義と思っています）。私も固定資産税があり、年金生活では大変です。国民の生命に関わるものに効率主義はいらないと思います。豊洲で都税を無駄使いした知事がよく言えますね。憤っています。
60代	女	豊島	医療水準が下がることは困ります。人の命にかかわることを効率一辺倒で判断すべきではないと思います。合理主義は合いません。税金の補助が必要です。しっかり考えて下さい。
70代以上	男	板橋	研究所はどうなるのですか。老人医療・健康について研究を続けて下さい。

50代	女	板橋	勤務していた板橋ナーシングホームも無くなり異動しました。民営化された新しい施設も職員レベルが低くなり大変と聞いています。都立病院をどんどん民営化するということは、患者負担は増え職員の待遇も悪くなります。地域に根ざした医療を守るため民営化中止を望みます。
60代	男	板橋	①通常の病院経営は合理化、IT化、効率化は必要。研修医師、看護師育成、治験などの拡大も。②長寿研究の部分など政策医療は別勘定で都の予算で管理すべきではないかと思う。
60代	男	板橋	現在65歳で特に受診していないが将来的に受診すると考えられる。豊島病院もいつの間にか都立病院から変わってしまって今後不安です。都立病院の存続を願います。
70代以上	女	板橋	今、老人研究をしているので研究を続けて下さい。
70代以上	男	板橋	板橋区は医療・介護が充実した区と思っている。このイメージからも高齢者が集まってきている。裕福な高齢者、所得の高い高齢者を増やして更なる医療の充実と介護の充実した区にしたい。医療関係の企業・事業も充実させ医療特区に。
70代以上	男	板橋	独立行政法人になって官と民の良いところを感じられるようになったと思っている。民営となって効率化だけを求めて欲しくない。補助金減らしてはダメ。
50代	女	板橋	以前のようにとは言わないまでも、生活が大変な老人も多くいます。一人暮らしの人も今は多いと思います。設立時の理念を忘れずにして欲しいと思います。都も削減するところを裕福なところからやっていくべき。
60代	男	板橋	高齢化社会、格差社会で医療の役割は増々重要になると思う。利益追求ではなく、弱者に寄り添う社会の仕組みは大切。
70代以上	女	豊島	今こうなっていますの情報を新聞折り込み等で流してほしい。そうでないと自分が病気にならなければ分からないです。
70代以上	女	板橋	高齢化社会を迎え、健康で長寿を全うできる社会の実現に向け、小池都政は予算を増やすべきだと思います。高齢者が生き生きと暮らしていれば、街は活気づくことでしょう。板橋区がその先端に立つことができるようになればうれしく思います。
40代	男	その他	医療の質低下はあってはダメ。そのための予算も当然必要です。
70代以上	女	板橋	豊島病院、医療センターと板橋の公立病院がなくなり、医療費を気にせずかかれる病院が減ってきています。患者負担が少なく安心して通院できる病院を作って下さい。

70代以上	男	板橋	高齢社会の研究で大きな役割を果たしているセンターです。今後ますます重要な役割を果たす研究機関であり、続けるために自由に伸び伸びと研究できる環境整備が必要で、予算を削ることなく増額する。
70代以上	男	板橋	東京都は都民の健康管理に責任を持つべきです。財源を拡大すべきです。
50代	女	板橋	独立行政法人化は酷い目に遭います。私は国立大学に勤務していますが、独法化されてから交付金がどんどん減らされ、研究費等全く不足。人事凍結で人も不足。大変なことです。命を預かる病院で同様のことが起これば危険です。
60代	男	板橋	一層高齢化が進みます。充実した医療・看護を望みます。地域に根ざす高度な医療・看護を守ってほしい。高齢者の認知症医療や救急医療をさらに充実させてほしい。
70代以上	女	板橋	高度な医療は研究費がかかるので東京都から補助金を少しでも多くもらうよう努力して欲しい（いろいろな理由をつけて）。
70代以上	女	板橋	医療については、国・都等、公費で賄うのが普通だと思います。米軍機一台買わないだけでも解決する。
70代以上	男	板橋	官から民への公共事業がどんどん移管されていくことに反対です。医療は国民の生命にとって最も必要とされるものです。民から官に戻してほしいです。

2018 年 10 月 24 日

健康長寿医療センターに働く皆様へ

「健康長寿医療センター
労働実態アンケートご協力のお願い」

都庁職衛生局支部健康長寿分会

日頃から医療現場でのご奮闘に心から敬意を表します。

今回、労働や職場環境改善にむけ現状を把握するため、毎年実施している「自治労連・自治体病院に働く職員の労働実態アンケート」とともに、東京都健康長寿医療センターが独立行政法人となり 10 年目の評価も含め、調査分析し労働環境の改善に役立てることになりました。組合に加入している方だけでなく、センターで働く全員の皆様のご回答をお願い致します。

ご多忙中とは存じますが、何卒よろしくお願い致します。

＊調査目的：健康長寿医療センターに働く職員の労働環境等
　　　　　　の実態を明らかにする

（目的外には使用しません）

＊回収：１１・２（金）までに

小封筒にいれ回収袋にお入れください。

●回収袋（大袋）はセンター2 階の健康長寿分会のメールボックスまでお願いします。

＊対象：健康長寿医療センターに働く全職員

お問合せ先：都庁職衛生局支部健康長寿分会（内線 1022）

＊同封の自治労連・自治体に働く職員の労働実態アンケートも記入を
ぜひよろしくお願いいたします。

記　　　質問で確答する番号を□に記入をお願いいたします

問1．あなたは東京都職員ですか、固有職員ですか？ □　　①東京都職員　　②固有職員

問2．あなたが健康長寿医療センターに望むものは何ですか？　　（複数回答可）

1　増員　　②給与の増額　　④手当の増額　　⑤住宅手当別支給　　⑥保育室の再開

⑦育児手当の増額拡大　　⑧年休取得数増　　⑨超過勤務の縮減　　⑩サービス残業の縮減

⑪夜勤数を 4 回以下にする（三交代は 8 回以下）　　⑫教育・研修の充実　　⑬福利厚生の充実

⑭研究費の増額　　⑮営重視の医療　　⑯医療・看護の質の向上　　⑰患者の経済的負担の軽減

⑱なし　　⑲その他（　　　　　　　　　　　　　　　　　　　　　）

問3．健康長寿医療センターが独立行政法人化となり変わったと思うことはありますか？

□　　①有り　　②無し　　③わからない

問4．問3で①と答えた方で変わったと思うことは何ですか？

Ⅰ　職員数について　　□□□□　　（複数回答可）

1　自部署職員数が増えた　　②自部署職員数が減った　　③看護師数が増えた　　④看護師数が減った

自治体病院に働く職員の労働実態アンケート

アンケートへの協力お願い

医療現場での日々のご奮闘に、心から敬意を表します。

わたしたち自治労連は、地域住民のいのちと健康を守るため住民との共同を広げ運動を前進させてきました。

しかし、地域になくてはならないはずの自治体病院は、再編・統廃合、経営形態の見直し等により、自治体病院の存続そのものが厳しい状況になっています。特に医師不足や診療報酬の改悪、地方財政の悪化等により、経営が悪化し廃止や統合を迫られる自治体病院も出てきています。

こうしたなか、自治体病院（診療所含む）に働く職員の労働実態の厳しさは、一層深刻なものになっています。自治労連として、看護職員、医療職員、介護職員などの実態をつかみ、運動を前進させるため、この「自治体病院に働く職員の労働実態アンケート」に取り組みます。

アンケートは年内にまとめるため、アンケート記入後は10月31日までに組合役員に渡して下さい。

大変お忙しいなかと存じますが、みなさんのご協力をお願いします。

調査目的	自治体病院職員の労働実態や夜勤形態、健康実態を明らかにし、今後の運動に生かし、前進させる目的で行います。目的外には使用しませんので安心して記入してください。
回収	各自が記入した調査票は各支部にお渡しください。
記入方法	□に数字を記入してください。
対象	自治体病院（診療所含む）の職員全員
締め切り	10月31日（水）までに組合の役員までお渡しください。

自治労連 （日本自治体労働組合総連合）
〒112-0012　東京都文京区大塚4-10-7　Tel：03-5978-3580　Fax：03-5978-3588

労働実態調査票

あなたの勤務先の都道府県　　　[　　　　　　　　　　　　　　　　　　　]
あなたの勤務先（病院名等）の名称 [　　　　　　　　　　　　　　　　　　]

【問1】あなたの職種は

　①保健師　②助産師　③看護師　④看護助手　⑤薬剤師　⑥放射線技師　⑦臨床検査技師　⑧リハビリテーション技師
　⑨臨床工学士　⑩栄養士　⑪ＭＳＷ　⑫医師　⑬事務職　⑭介護職　⑮その他（　　　　　　　　　　　　　）

【問2】あなたの性別は

　①女性　②男性

【問3】あなたの年齢は

　①～24歳　②25～29歳　③30～34歳　④35～39歳　⑤40～49歳　⑥50～59歳　⑦60歳以上

【問4】現在の病院等でのあなたの勤続年数は

　①1年未満　②1～2年　③3～4年　④5～9年　⑤10～14年　⑥15～19年　⑦20～29年　⑧30年以上

【問5】あなたの雇用形態は

　①正規職員　②短時間正規職員　③嘱託　④再任用　⑤アルバイト（フルタイム）
　⑥アルバイト（短時間）　⑦夜勤専門　⑧その他（　　　　　　　　　　　　　）

【問6】あなたの職場は

　①病棟　②外来　③救急部門　④手術室　⑤サプライ　⑥コメディカル部門　⑦事務部門（　　　　　　　　）
　⑧訪問・在宅部門　⑨その他（　　　　　　　　　　　　　）

【問7】あなたの勤務形態は

　①日勤のみ　②日勤と当直
　③3交代（正循環）　④3交代（逆循環）
　⑤16時間夜勤あり　⑥12時間夜勤あり
　⑦その他
　　（　　　　　　　　　　　　　）

引用元：日本看護協会「夜勤・交替制勤務に関するガイドライン」pp.32

3交代制での逆循環（図上段）と正循環（図下段）のシフト編成例

【問8】1年前に比べ仕事量はどうですか

　①大幅に増えた　②若干増えた　③不変　④若干減った　⑤大幅に減った

【問9】2018年9月の超過勤務は

　①なし　②5時間未満　③5～9時間　④10～19時間　⑤20～29時間
　⑥30～39時間　⑦40～49時間　⑧50～59時間　⑨60～79時間　⑩80時間以上

【問10】上記の超過勤務の内サービス残業は

　①なし　②5時間未満　③5～9時間　④10～19時間　⑤20～29時間
　⑥30～39時間　⑦40～49時間　⑧50～59時間　⑨60～79時間　⑩80時間以上

【問11】昨年1年間の有給休暇は何日とれましたか

　①なし　②1～4日　③5～9日　④10～14日　⑤15～19日　⑥20日以上

【問12】 2018年10月は３日以上の連続休日はありますか

□ 　①ある　②ない

【問13】 🖐 ３交代勤務の方のみにお聞きします

（１）準夜・深夜勤務中に休憩時間はとれていますか

□ 　①きちんと取れている　②大体取れている　③あまり取れていない　④全く取れていない

（２）2018年９月で、勤務が終わってから次の勤務につくまでの、一番短い間隔は何時間でしたか

□ 　（残業した場合終了時間から計算してください）
　①４時間未満　②６時間未満　③８時間未満　④12時間未満　⑤16時間未満　⑥24時間未満　⑦24時間以上

（３）夜勤の勤務の拘束時間は

□ 　①8.5時間～12.5時間未満　②12.5時間～16時間未満　③16時間以上

【問14】 🖐 16時間夜勤あり、又は12時間夜勤ありの方のみにお聞きします

（１）夜勤中の休憩時間（仮眠含む）は何分ですか

□ 　①60分　②90分　③120分　④それ以外（　　　　分）

（２）上記を含む夜勤中の休憩（仮眠）はとれていますか

□ 　①きちんと取れている　②大体取れている　③あまり取れていない　④全く取れていない

（３）2018年９月で勤務が終わってから次の勤務につくまでの、一番短い間隔は何時間でしたか

□ 　（残業した場合終了時間から計算してください）
　①４時間未満　②６時間未満　③８時間未満　④12時間未満　⑤16時間未満　⑥24時間未満　⑦24時間以上

（４）夜勤の勤務の拘束時間は

□ 　①12.5時間～16時間未満　②16時間以上　③その他

労 働 環 境

【問15】 あなたの職場で職場環境が原因でメンタル障害で休んだり治療を受けている職員はいますか

□ 　①いる　②いない　③不明

【問16】 あなたはセクハラを受けたことがありますか

□ 　①ある　②ない

🖐 ①あるの方へ　誰から受けましたか

□ 　①上司　②医師　③同僚　④患者　⑤患者の家族　⑥その他（　　　　　　　　　　　　）

【問17】 あなたはパワハラを受けたことがありますか

□ 　①ある　②ない

🖐 ①あるの方へ　誰から受けましたか

□ 　①上司　②医師　③同僚　④患者　⑤患者の家族　⑥その他（　　　　　　　　　　　　）

健 康 状 態

【問18】 あなたは普段の仕事で、心身に疲労を感じますか

□ 　①毎日非常に疲れる　②たまに非常に疲れる　③毎日、多少疲れる
　④たまに多少疲れる　⑤毎日疲れを感じない　⑥どちらともいえない

【問19】 あなたは、この１年間で病院・医院を受診したことがありますか（３つまで選択）

□□□ 　①病院・医師にかかったことがない。②脳神経系　③循環器系　④呼吸器系
　⑤消化器系　⑥けが・外傷　⑦精神疾患等　⑧頚肩腕・腰痛　⑨眼科　⑩風邪
　⑪産科系　⑫婦人科系　⑬耳鼻咽喉系　⑭その他の病気（　　　　　　　　　　　　　　）

【問20】 あなたは健康に働く上で何を改善すべきだと思いますか（3つまで選択）

①人員の拡充　②労働時間の短縮　③業務量の削減　④職場の環境改善　⑤情報化システムの改善
⑥職場の人間関係の改善　⑦健康診断などの拡充　⑧メンタルヘルス対策の充実　⑨セクハラ・パワハラ対策
⑩労働・安全衛生対策の強化　⑪仕事と家庭生活の両立支援の充実　⑫行き過ぎた管理統制の解消
⑬夜勤回数の軽減　⑭年次有給休暇の取得促進　⑮その他（　　　　　　　　　　　　　　　　　）

【問21】 あなたが常用している薬は（5つまで選択）

①ない　②鎮痛剤　③胃腸薬　④風邪薬　⑤下剤　⑥安定剤　⑦抗うつ剤　⑧睡眠薬　⑨ビタミン剤
⑩栄養・疲労回復ドリンク　⑪その他（　　　　　　　　　　　　　　　）

【問22】 あなたは最近、次の症状がありますか（該当するものすべて選択）

①身体がだるい　②いつも眠い　③目が疲れる　④胃腸の調子が悪い　⑤腰痛　⑥イライラする
⑦根気がない　⑧ゆううつな気分がする　⑨頭痛　⑩めまい　⑪耳なり

【問23】 あなたの疲れの回復具合は

①疲れを感じない　②翌日には回復　③翌日に残ることが多い　④休日でも回復せずいつも疲れている

【問24】 仕事上ストレスを強く感じるのは（上位3つまで選択）

①セクハラ・パワハラ　②患者・家族からのクレーム　③夜勤　④医療事故に対する不安　⑤仕事の量
⑥仕事の質　⑦職場の人間関係　⑧仕事への適性の問題　⑨その他（　　　　　　　　　　　　　　）

仕事に対する思い

【問25】 現在の仕事にやりがいを感じていますか

①感じている　②少し感じる　③全く感じない　④わからない

【問26】 ☞上記で①、②と答えた方へ　どんな時にやりがいを感じますか

①患者、家族に感謝されたとき　②上司から評価されたとき
③仕事の目標が達成できたとき　④その他（　　　　　　　　　　　　　）

【問27】 十分な医療、看護、介護が提供できていますか

①できている　②できていない　③わからない

☞②と答えた方へ　提供できない主な理由は（上位3つまで選択）

①人員不足　②勤続年数が少なく経験年数が短い　③スタッフ間の意思疎通が少ない
④研修・会議が多い　⑤主業務以外の業務が多い　⑥その他（　　　　　　　　　　　）

【問28】 あなたは仕事を辞めたいと思いますか

①いつも思う　②ときどき思う　③思わない　④わからない

☞上記①、②と答えた方へ　辞めたいと思う主な理由は（上位3つまで選択）

①人員不足で仕事がきつい　②賃金が安い　③休みが取れない　④夜勤回数が多くてつらい
⑤夜勤が長時間でつらい　⑥仕事の達成感がない　⑦職場の人間関係　⑧医療事故への不安
⑨患者・家族からのクレーム　⑩その他（　　　　　　　　　　　）

【問29】 組合

①加入している　②組合はあるが加入していない　③組合はない
④組合はないが加入したい（差し支えなければお名前を：　　　　　　　　　　　）　⑤わからない

【問30】 日頃仕事をしていて感じていることや、労働組合への要望や意見など、自由にお書き下さい

ありがとうございました。

平成30年度第二回職員アンケート結果概要について

背景・目的

・昨年11月に実施した第一回アンケートで満足度が高くなかった項目について追跡調査を行い、課題の把握と対応の方向性を提示、実施につなげることで職員のモチベーション向上等を図る。

実施期間：2019年2月4日～同22日
調査手法：センター職員（固有・非常勤・都派）（固有・非常勤・都派）に対し、紙及びメールにて案内。任意回答方式。

回答実績：回収枚数 **785**枚（白紙含む）　常勤回答率 **59.7**%（都派含む・未選択除く）

常勤職員及び都派遣職員の回答数・率

凡例
常勤職員数
常勤回答数
常勤回答率

職種	医師	研究者	看護師	コメディカル	事務
常勤職員数	127	88	473	175	94
常勤回答数	32	25	343	134	37
常勤回答率	25%	28%	73%	77%	39%

※回答率は2月1日時点の現員数に対してである。

雇用形態・職種内訳	医師	研究者	看護師	コメ	事務	職種未選択	合計
固有（常勤）	32	24	319	134	35	9	553
固有（非常勤）	7	11	31	30	24	14	117
都派遣		1	24	13	2	1	28
未選択	4	4	21	13	16	29	87
合計	43	40	395	177	77	53	785

職層内訳（非常勤除く）	医師	研究者	看護師	コメ	事務	職種未選択	合計
主事級	1	3	241	72	15	1	333
主任級	1	5	34	28	9	2	79
係長級	10	4	18	17	4		53
課長級以上	6	6	5	3	1	1	20
わからない	7	2	4	1	1	1	16
（空白）	11	9	62	26	24	35	167
合計	36	29	364	147	53	39	668

※雇用形態・職種・職層は集計の結果であり、設定されていない組み合わせもある

給与について（全体）

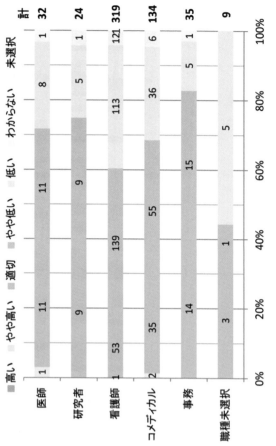

（常勤・都派除く）

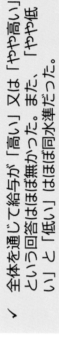

（非常勤）

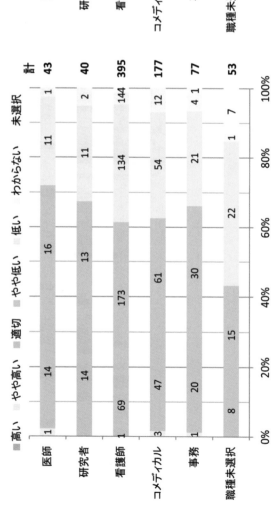

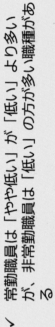

✓ 全体を通じて給与が「高い」又は「やや高い」という回答はほぼ無かった。また、「やや低い」と「低い」はほぼ同水準だった。

✓ 看護師で「やや低い」「低い」の回答割合が他職種より高かった

✓ 常勤職員は「やや低い」が「低い」より多いが、非常勤職員は「やや低い」は「低い」の方が多い職種がある

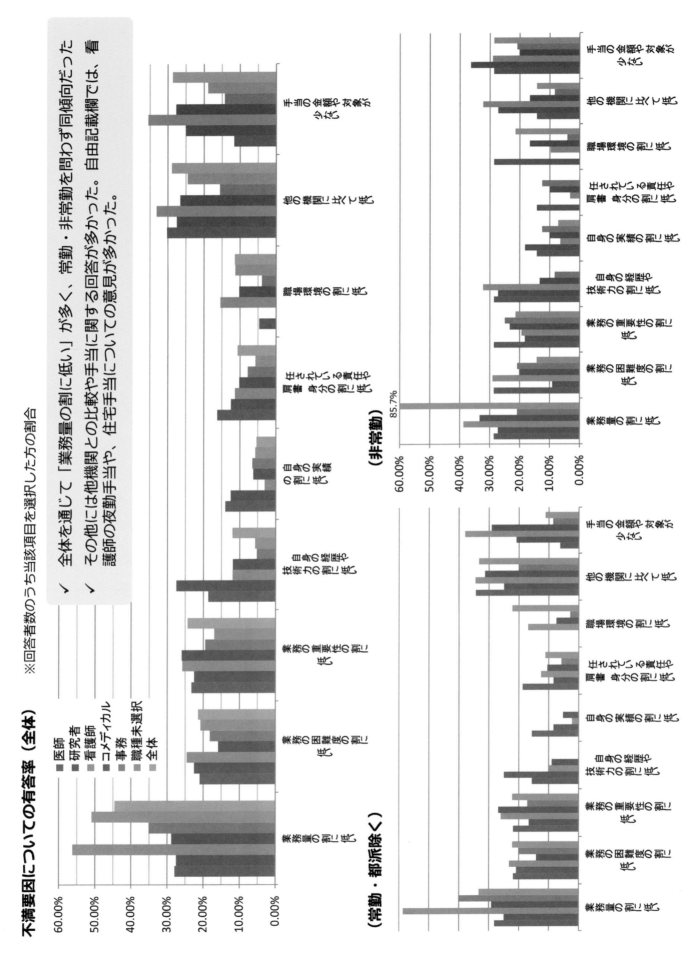

不満要因についての有答率（全体）　※回答者数のうち当該項目を選択した方の割合

✓ 全体を通じて「業務量の割に低い」が多く、常勤・非常勤を問わず同傾向だった。
✓ その他には他機関との比較や手当に関する回答が多かった。自由記載欄では、看護師の夜勤手当や、住宅手当についての意見が多かった。

（非常勤）

（常勤・都派除く）

不満要因についての有答率（職種別）

※職種ごとの回答者数のうち当該項目を選択した方の割合

✓ 常勤は、医師は「他機関との比較」が1位だが、看護師・事務では「業務量の割に低い」が最も高い。研究者とコメディカルは突出した項目は見受けられない

✓ 非常勤は常勤に比べると職種間の差が少ないが、全体的に「業務量の割に低い」が最も高く、概ね常勤と似た傾向にある

常勤（都派除く）

非常勤

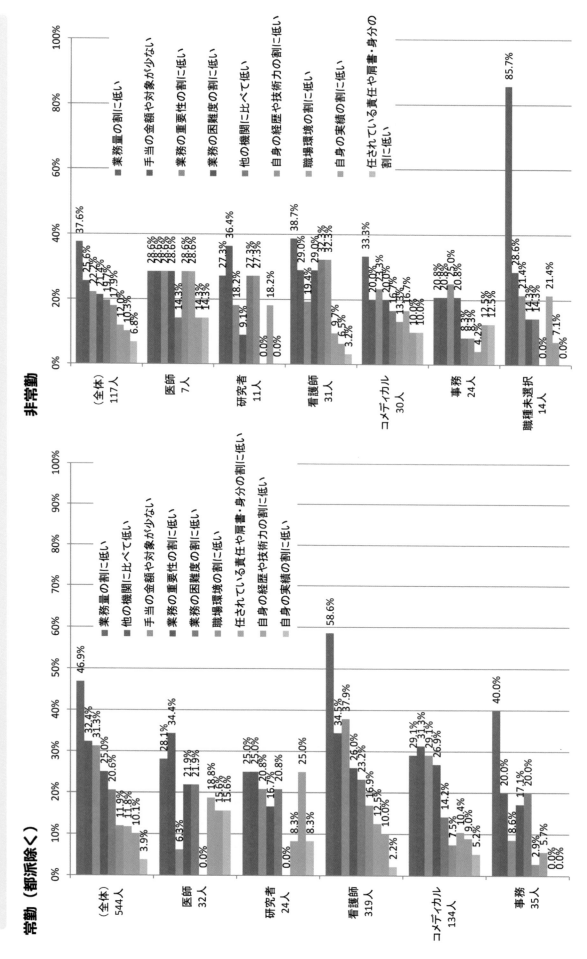

153

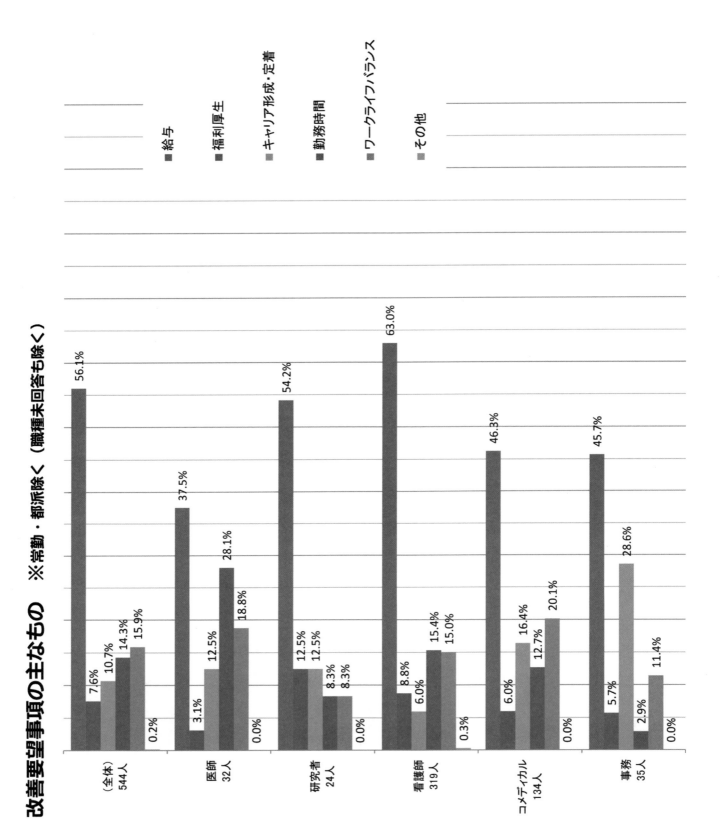

改善要望事項の主なもの　※常勤・都派除く（職種未回答も除く）

凡例: ■ 給与　■ 福利厚生　■ キャリア形成・定着　■ 勤務時間　■ ワークライフバランス　■ その他

職種	給与	福利厚生	キャリア形成・定着	勤務時間	ワークライフバランス	その他
（全体）544人	56.1%	7.6%	10.7%	14.3%	15.9%	0.2%
医師 32人	37.5%	3.1%	12.5%	28.1%	18.8%	0.0%
研究者 24人	54.2%	12.5%	12.5%	8.3%	8.3%	0.0%
看護師 319人	63.0%	8.8%	6.0%	15.4%	15.0%	0.3%
コメディカル 134人	46.3%	6.0%	16.4%	12.7%	20.1%	0.0%
事務 35人	45.7%	5.7%	28.6%	2.9%	11.4%	0.0%

規模

550 床の病床数（一般 520 床、精神 30 床）、医師 115 人　看護師 488 人　医療技術 189 人　その他 78 人（2019 年 4 月 1 日現在）を配置、外来患者数 806 人/日（2018 年度）、平均在院日数 12.9 日（2018 年度）

運営方針

- 患者さま本位の質の高い医療サービスを提供します。
- 高齢者に対する専門的医療と生活の質（ＱＯＬ）を重視した全人的包括的医療を提供します。
- 地域の医療機関や福祉施設との連携による継続性のある一貫した医療を提供します。
- 診療科や部門・職種の枠にとらわれないチーム医療を実践します。
- 高齢者医療を担う人材の育成及び研究所との連携による研究を推進します。

診療方針

東京都健康長寿医療センター病院は、高齢者の専門医療機関として、専門医療を必要とする患者さんを一人でも多くお引受けし、同時に外来の混雑を緩和し、入院待ち期間もできるだけ短くしたいと考えています。これらのことが可能となるよう、診療所や病院と相互に患者さんを紹介するシステムを作っています。

具体的には、当センターを受診していただいた患者さんで、治療方針がはっきり定まった方、入院治療を行い病状が安定した方には、診療所や病院などを紹介させて頂くこともありますので、ご協力のほどよろしくお願い申し上げます。

なお、診療所や病院などをご紹介した後も、当センターでの治療が必要になった場合には、いつでも対応させて頂き

患者権利章典

１．だれでも、どのような病気にかかった場合でも、良質な医療を公平に受ける権利があります。

患者様には、だれでも社会的地位や疾病の種類、国籍、宗教などにより差別されることなく、適切な医学水準に基づいた安全で効果的な医療を受ける権利があります。

この権利を尊重し、患者様に対して常に公平であるとともに、質の高い適切で安全な医療を提供できるよう知識・技術の研さんに努めていきます。

2．だれもが、一人の人間として**尊重**され、**医師**や**看護師**など**医療提供者**との**相互協力**のもとで**医療を受ける権利**があります。

医療提供者は、患者様を一人の人間として尊重し、患者様と互いに協力し合いながら医療をつくりあげていくように努めます。

患者様も、すべての患者様に適切な医療を提供するために、病院には通常の社会生活にはない制約があることをご理解いただき、ご協力くださるようお願いします。

3．**病気や検査、治療について、わかりやすい言葉や方法で、納得できるまで十分な説明を受ける権利**があります。

患者様とのコミュニケーションを大切にして、患者様が納得できるまで十分な説明をするよう努めます。

患者様も、分からないことがあれば分かるまで、何度でも医療提供者に質問してくださるようお願いします。

4．治療方法などを自分の意思で選択する権利があります。

患者様が治療方法などを自分の意思で選べるよう医療情報を提供し、患者様やご家族のご意見を尊重しながら医療を進めていきます。

別の医師の意見（セカンド・オピニオン）をお聞きになりたいというご希望も尊重します。

医療提供者が患者様の状態や治療等について的確な判断を行っていくために、アレルギーの有無や行動障害、家族歴など、患者様自身の健康に関する情報をできるだけ正確にお伝えくださるようお願いします。

5．自分の診療記録の開示を求める権利があります。

患者様には、自分の診療記録を見るだけでなく、複写を請求したり、医療提供者からの説明を受ける権利があります。

また、この開示を実効あるものにするため、診療記録の作成にあたっては、常に適正な記載をするよう努めます。

6．診療の過程で得られた患者様の個人情報や療養中のプライバシーが守られる権利があります。

病気にかかわる患者様の情報を承諾なしには開示しないなど、個人情報の取扱いを厳正に行い、秘密の保持に十分配慮します。

7．研究途上にある医療に関し、目的や危険性などについて十分な情報提供を受けたうえで、その医療を受けるかどうか決める権利と、何らの不利益を受けることなくいつでもその医療を拒否する権利があります。

薬の治験（新たな薬の認可を受けるために患者様を対象に行う臨床試験）や、研究途上にある医療について、目的や危険性などに関して十分な情報提供を受けたうえで、その医療を受けるか否かを患者様自身で判断していただきます。

なお、その医療を受けることに同意されなくても、また、途中で拒否されても何ら不利益を受けることはありません。

8．良質な医療を実現するためには、医師をはじめとする医療提供者に対し、患者様自身の健康に関する情報をできるだけ正確に提供する責任と義務があります。

医師を始めとする医療提供者は、患者様の状態や治療等について的確な判断を行い良質な医療を提供していかなければなりません。

そのためには、家族歴、既往歴、アレルギーの有無等の患者自身に関する情報を正確に医療提供者に伝えることが重要な要件となります。

患者様は、医療提供者に対し、自分の健康に関する情報を可能な限り正確にお伝えくださるようお願いします。

9．納得できる医療を受けるために、医療に関する説明を受けてもよく理解できなかったことについて、十分理解できるまで質問する責任と義務があります。

患者様が納得のいく医療を受けるために、また、検査や治療方法等を自分自身の意思で選択していくためには、その検査や治療等について、十分な説明や情報提供を受けることが必要です。

この場合、患者様が理解できない、又は納得できないことがあれば、十分理解又は納得

できるまで医師を始めとする医療提供者に何度でも質問していただくようお願いします。

10. すべての患者様が適切な医療を受けられるようにするため、患者様には、他の患者様の治療や病院職員による医療提供に支障を与えないよう配慮する責任と義務があります。

病院では、職員が数多くの患者様に様々な医療を提供しています。

そのため、個々の患者様は通常の社会生活にはない制約を受けざるを得ないこともあります。

患者様は、このことを十分に理解した上で、自分に対する治療はもとより、他の患者様の治療や病院職員の医療提供に支障を来さないように留意して、適切な医療提供に協力していただくようお願いします。

医療従事者の負担軽減及び処遇改善について

当センターでは医療従事者の負担軽減及び処遇改善のため、下記の項目について取組みを行っております。

業務分担

- 術前検査センターの活用
- 看護師による静脈採血及び静脈注射の実施
- 薬剤師による薬剤管理指導の充実、処方薬疑義照会等による支援
- 管理栄養士による栄養食事指導の実施、退院時の食事情報提供
- 管理栄養士による食物アレルギー内容の確認
- クリニカルパスの促進
- 看護補助者・病棟クラーク・外来クラークの活用

医師事務作業補助者の配置

診断書等の作成代行/外来診療記録の代行入力

外来縮小の取組み

- 地域の医療機関との連携強化/かかりつけ医紹介窓口の活用

処遇改善

当直明けの勤務軽減

産休・育休制度の充実

介護休業制度の充実

短時間正規雇用の活用（育児のための短時間勤務）

当センターでの医師事務補助者業務の現況

当センターでは2012年より、医療サービス推進課に医師事務補助者の配置を開始しました。初年度は3人から業務を開始し、医師、コメディカル、課内の協力を経て業務を遂行し、現在は20人を超えるまで増員しております。各種書類作成や外来での紹介状・問診票記事入力、NCD、がん登録、データ入力など多岐に渡る業務を行っています。

今後業務はさらに拡大が予想され、専門性の高い医師事務補助者が必要とされています。

一人一人が自覚を持ち、自己研鑽できる環境作りを目指しています。

質の高い医療を患者様へ提供できるよう医師をはじめ医療スタッフを支える。

専門知識、技術向上と共に医師事務補助者が連携し業務を遂行する。

柔軟な対応力と判断力、周囲に気配りが出来る人材の育成を目指す。

業務体制

基本業務として全診療科の診断書作成、その他外来補助業務を徐々に拡大し、紹介状・問診票などから、初診記事の代行入力を行っています。診断書作成については、各自業務を調整し複数科の診断書作成ができるようステップアップしていきます。

その他、がん登録・NCD などのデータベースについては、専門知識を取得した医師事務作業補助者が行い医師の負担軽減を行っております。